Llygedyn o Heulwen

Mair Wynn Hughes

GOMER

Argraffiad Cyntaf — 1989

ISBN 0 86383 573 2

ⓗ Mair Wynn Hughes ©

CBAC

Cyhoeddwyd dan nawdd Cynllun Llyfrau Darllen
Cyd-bwyllgor Addysg Cymru

Argraffwyd gan J. D. Lewis a'i Feibion Cyf.,
Gwasg Gomer, Llandysul, Dyfed

I
GWENAN

Mae Mam wedi dŵad adra o'r ysbyty heddiw. Y hi a'r babi newydd. Hogyn ydi o. Ych! Mae pawb yn dotio uwch ei ben, ac yn paldaruo ei fod o run ffunud â'i dad . . . neu'i fam . . . neu hyd yn oed Nain! Wrth gwrs, phlesiodd hynny fawr ar Mam! Roedd hi'n gwenu tu allan a berwi tu mewn.

A beth amdana i? Rydw inna'n chwaer iddo fo hefyd, a chlywais i neb hyd yn oed yn crybwyll tebygrwydd i *mi*!

Roeddwn i wedi rhyw hanner gobeithio mai hogan fyddai'r babi. Fel y dywedais i wrth Siw,

'Mi a i'n wallgo bost os mai Llŷr yr ail gawn ni.'

Ond ychydig o gydymdeimlad gefais i gan honno. Mae hi wedi colli'i phen am fabis, ac yn bwriadu cael sawl un pan fydd hi wedi gadael yr ysgol a phriodi Prysor Jâms. Ac mi rydw inna wedi rhoi'r gorau i drio ei darbwyllo hi erbyn hyn. Nid nad oedd gen i ddigon i'w ddweud ar y pwnc, ond bod gen i gant a mil o bethau eraill i'w gwneud. (Fel rhedeg i fyny ac i lawr y grisiau yn tendio ar Nain, bosio Llŷr, plicio tatws a golchi llestri, a smwddio crysau di-ben-draw Dad am ei fod o wedi dechrau ar ei joban newydd.)

Wir, rydw i'n dechrau meddwl fod y busnes priodi a chadw tŷ 'ma'n gaethiwed ofnadwy i ferched. A'r mwya rydw i'n blasu'r peth, wel, y mwya penderfynol rydw i y bydda i'n cael sgwrs drwyn yn drwyn hefo Derec Wyn cyn 'i briodi fo. Rhoi ar ddeall iddo fo sut ma pethau i fod, tê?

Ond . . . y babi! Fedra i yn fy myw glosio ato fo rywsut. Pwy fedrai, ac yntau'n grebachlyd goch a heb flewyn ar 'i ben? A pheth arall, fedra i ddim, petaswn i'n tagu yn y fan a'r lle, ei weld o'n debyg i neb o'n teulu ni.

'Mi fydd dy fam gartra mewn ychydig ddyddiau,' medda Dad. 'Rhaid inni ddechrau trefnu . . . ,'

Yna mi frathodd ei wefus a throi at y ffenest. Ond mi wyddwn i gystal ag yntau beth oedd yn ei feddwl. Be

7

wnawn ni hefo Nain Tawelfa, tê? Mi fynnodd ddŵad yma pan fu'n rhaid i Mam fynd i'r ysbyty, heblaw y bu hi yma am wythnosau pan ddaru hithau syrthio ar ôl y Nadolig. Cracio 'sennau a chael twtsh o hypothermia. Sôn am ryfel cartref yr adeg honno! Mam a hithau'n pardduo'i gilydd ac yn achwyn bob yn ail eiliad wrth Dad.

Mae Nain a finna'n deall ein gilydd y rhan fwya o'r amser. Er hynny, mi rydw i'n dyheu am gael fy llofft fy hun yn ôl, ond fedra i mo'i chael heb i Nain fynd adra. Yn fy llofft i mae hi'n cysgu, a finna yn llofft blwch matsys Llŷr, a Llŷr hefo Dad tra mae Mam yn yr ysbyty.

Ond mi fydda i'n fy ôl ar y gwely gwersyllu ar y landin, mi fetia i. A fedra i ddim *diodda* hynny. Beth am i Llŷr gysgu yno am dipyn? Neu ydi Nain am fynd adra? Soniodd hi run gair.

Eu problem nhw ydi hi. Rydw i wedi gwneud fy rhan. Nid heb rwgnach chwaith. Mi fedra i gwyno a chuchio gystal ag unrhyw un pan fydda i'n cael cam. A fedr neb wadu nad ydw i'n rêl sgifi yn y lle 'ma.

Wel, mi es i hefo Dad i'r ysbyty ar ôl yr enedigaeth. Wn i ddim sut olwg roeddwn i'n disgwyl ei weld ar Mam. Teneuach? Ha! Ha! Ond hefo dipyn o ôl ei phrofiad ar ei hwyneb, am wn i. Ond roedd hi'n eistedd fel brenhines yn ei choban gotwm binc a minlliw run lliw yn union ar ei gwefusau.

'Gafael ynddo fo, Gwenno,' medda hi yn fêl i gyd wrth fy ngweld i'n sefyll yno heb fawr o ddiddordeb yn y babi. 'Wnaiff o ddim brathu, ysti.'

'Ha! Ha!' meddwn i wrthyf fy hun. 'Ond mi wlychith ddigon, yn gwnaiff?'

Ond ei godi fo ddaru mi a'i ddal yn drwsgl ddigon yn fy mreichiau. Mi syllodd Mam a Dad arna i fel petasen nhw'n disgwyl i ryw ddaeargryn emosiynol fy hitio i. Tybio y buaswn i'n syrthio mewn cariad â lwmpyn penfoel ac arogl cymysg o bi-pi a thalcwm arno fo. Ond mi roeddwn i wedi pwdu ar ôl deall mai hogyn oedd o. Felly mi rois i o'n ei ôl yn reit sgut. Mi edrychodd Mam a Dad ar ei gilydd ond ddeudodd run ohonyn nhw air.

'Peth fel'na ydi babi?' medda Llŷr wedi iddo sbïo arno fo am eiliad. 'Fel chwysigen grimp.'

'O . . . Llŷr!' medda Mam rhwng chwerthin a chrio.

Gwneud ceg guchiog ddaru Llŷr yna ei sodro ei hun ar y gwely a swatio'n glòs wrth ei hochr. Babi Mam!

'Oes rhaid ichi ddŵad â fo adra?' gofynnodd.

Ond adra y daeth o heddiw. Strach! A phwy fu'n rhedeg fel peth gwirion o gwmpas y tŷ? Does dim angen imi ddweud, yn nac oes? A phwy oedd yn hwyr yn cyfarfod Derec Wyn? Does dim angen imi ddweud hynny chwaith.

'Dew, ble buost ti?' gofynnodd hwnnw â golwg reit ddiflas ar ei wyneb pan gyrhaeddais i ei gartre. 'Roeddwn i am ddal y bws pedwar i'r dre a mynd i'r siop gyfrifiaduron.'

'A phwy oedd yn dy rwystro di?' gofynnais yn reit bigog.

(Wedi'r cwbl, roeddwn i wedi cael llond bol o ddiwrnod fel roedd hi.)

'Ma hi'n rhy hwyr rŵan,' medda fo'n dorcalonnus.

Roeddwn i'n teimlo fel ei gicio fo a'i gyfrifiadur i ebargofiant ond mi frathais fy nhafod a rheoli fy nhymer. A dweud y gwir roeddwn i'n reit falch ohonof fy hun. Nid pawb fuasai'n medru cadw mor wendeg a rhesymol yng nghanol treialon bywyd.

Dydd Sul, Gorffennaf 15fed

Chysgais i run winc! Rydw i'n fy ôl ar y landin ac yn lwmp o styfnigrwydd. Pam y fi? A babis? Pell y bo bob un ohonyn nhw. Doedd ein un newydd ni ddim yn licio ei le, achos chysgodd yntau fawr ddim chwaith. Mi ddeffrodd ac mi ddeffrodd, ac mi griodd ac mi griodd nes y bu'n rhaid imi gladdu fy mhen o dan y pilŵ a'i wasgu'n dynn tros fy nghlustiau hefyd.

9

Ac wrth basio am y toiled, mi welodd Mam fy mod i'n effro.

'Gwna baned imi, Gwenno,' medda hi. 'Rydw i bron â thagu, a fedra i ddim ei gael o i gysgu.'

Nefoedd y rwdins! (Neu geiriau tebyg ond cryfach!)

'Beth am Dad?' meddwn i'n surbwch gan geisio palfalu am fy slipas.

'Ia, tyrd â phaned iddo fo hefyd.'

Mi fuaswn i'n medru sgrechian yn uwch na'r babi.

Mi balfalais fy ffordd am y gegin a rhoi'r tecell i ferwi fel pe buaswn i mewn rhyw fyd arall. Os mai fel hyn roedd hi am fod, mi fyddai'n rhaid imi ystyried gadael cartre. Ond i ble yr awn i?

Mi godais bore heddiw yn griciau i gyd.

'Digon o dwrw yma neithiwr,' medda Nain pan ddaeth i lawr y grisiau. 'Cadw pawb yn effro. Mae angen crud siglo arnyn nhw. Crud siglo oedd gen i hefo dy Dad. Dim smic ganddo fo tan y bora.'

Dyma hi'n gafael yn y tecell a mynd â fo at y sinc i'w lenwi.

'A ble ma pawb?'

'Heb godi,' meddwn i'n ddigon swta.

'Hm!' medda Nain gan astudio fy wyneb i'n graff. 'Chefaist tithau fawr o gwsg neithiwr. Lawr y grisia 'na'n tendio ar dy fam ganol nos. Dyn, ma pethau wedi newid yn y byd 'ma. Thendiodd neb arna i rioed.'

Mi ddisgynnodd fy ngên i at fy stumog. A finna wedi rhedeg i fyny ac i lawr y grisiau iddi hi ers wythnosau, ac wedi estyn ei dannedd gosod ugeiniau o weithiau er bod gafael ynddyn nhw'n codi cyfog arna i!

Roedd gwyliau'r haf yn estyn fel blwyddyn o fy mlaen i. Chawn i ddim munud i mi fy hun hefo Nain a'r babi a phopeth. Mi fuo bron imi â sniffian crio wrth weld y darlun yn fyw yn fy meddwl.

Gwenno Jones, pedair ar ddeg oed, merch Menai a

Myrddin Jones, sgifi ddi-dâl gydag olion gwaith caled ar ei dwylo ac oes o brofiad yn ei hwyneb. Mi fyddwn yn codi'n gynnar ac yn noswylio'n hwyr, yn coginio ac yn golchi, yn cerdded y babi ac yn siopio, yn tendio ar Nain . . . a Mam a Dad . . . a Llŷr. Fyddai neb yn malio dim amdana i. Neb yn sylwi fy mod i'n teneuo ac yn edrych yn wael, neb yn sylwi nad oedd gen i amser i fwyta . . . neb yn sylwi fod salwch angheuol wedi gafael yndda i. Dim hyd yn oed Derec Wyn. Neb yn sylwi nes roedd hi'n rhy hwyr.

'Yli, bwyta hwn,' medda Nain gan sodro platiad o facwn o fy mlaen.

Nefi! Roeddwn i wedi breuddwydio am gantoedd! Mi edrychais i ar y bacwn a theimlo daeargryn yng ngwaelod fy stumog.

'Ew, fedra i ddim, Nain. Ddim wedi'i ffrio . . .'

'Wn i ddim be sydd ar yr oes fodern 'ma,' medda Nain yn siort. 'Rhyw ffad am fwyd iach o hyd. Fuo rioed ddrwg o dipyn o saim. Leinio stumog rhywun. . . . Ac mi godaist, Myrddin?' medda hi wrth weld Dad yn dŵad i'r gegin.

Dew, mi roedd golwg arno fo. Mae dynion yn edrych yn ddigon bethma yn y bore. Wir, mi fydd yn rhaid imi ddeddfu'n gry ar ôl imi briodi Derec Wyn. Does 'na ronyn o ramant mewn deffro a rhywun tebyg i Dad wrth eich ochr. Ei wallt o bob sut a düwch barf yn gysgod ar ei ên. Ond fedr Derec Wyn byth edrych fel'na . . . dim hyd yn oed petasai fo'n trio ei orau. Na, mae o'n olygus . . . a siapus . . . ac yn gariad o'i benglog i fodyn ei droed.

Mi fydd ganddon ni un o'r llofftydd moethus 'na hefo wardrob a bwrdd gwisgo a chist yn un rhes, hefo gwydr hir yn eu canol, a'r cyfan wedi'u ffitio'n hardd ar hyd un wal. Mi fydd 'na garped pinc unlliw ar y llawr ac ambell i ryg gwlân yma ac acw. Mi fydd ganddon ni ystafell 'molchi yn perthyn i'r llofft, hefo baddon 'Jaccussi' a phlanhigion fel coedwig ar y silff uwchben. Mi fydd ganddon ni wely canopi gyda llenni les yn crogi o bobtu, ac mi fydd ffrilan les yn fochiog o gwmpas ei draed. Mi fydda inna yn gwisgo coban sidan ddrud . . . ac yn cael coffi yn fy ngwely ac yn gwrando ar y radio yn ddiog braf, a fydd dim angen imi godi'n fore na brysio i olchi'r llestri na gweini ar neb. *A fydd 'na ddim babi o fewn cilometrau inni*!

'Gwenno . . . Gwenno . . . Be sydd ar yr hogan 'ma heddiw?' Mi roes Dad bwniad reit gïaidd imi. 'Gwenno, dos â'r hambwrdd 'ma i dy fam, wnei di? Dydi hi wedi cael fawr o gwsg.'

A phwy gafodd, tê? Nid Gwenno Jones ar y landin beth bynnag.

Mi godais yn reit bwdlyd a dringo'r grisiau hefo'r hambwrdd yn fy llaw. Diolch byth, roedd *y fo* wedi cau'i geg o'r diwedd. Mi agorais y drws.

'Brecwast, Mam, . . .'

'Ssssh! Paid â chodi dy lais. Mae o'n cysgu.'

A dyna ichi batrwm y diwrnod. Paid â chwarae dy recordiau, mae o'n cysgu. Paid â rhedeg i fyny'r grisiau, mae *o* bron â chysgu. Dew! Mae 'na ffws hefo babis.

'A be fydd enw'r babi 'ma?' gofynnodd Nain yn reit filwriaethus. 'Rhwbath ffasiwn newydd eto, debyg.'

I ffwrdd â ni, meddwn i wrthyf fy hun. Dydi Nain rioed wedi maddau i Mam am fyny galw Llŷr yn Llŷr. Disgwyl iddi ei alw'n Harri ar ôl Taid.

'Rhodri,' atebodd Mam a golwg yr un mor filwriaethus arni hithau.

'Sothach ffasiwn newydd,' medda Nain o dan ei gwynt.

'Ia, wel . . . dyna ydi o i fod,' medda Mam.

Mi suddodd Nain i'w chadair yn reit surbwch, ac mi eisteddodd Mam yn gefnsyth yn y gadair lolfa.

'Rydw i am fynd i dŷ Siw,' meddwn i er mwyn torri ychydig ar y tyndra.

Rhyw ochneidio ddaru Mam fel petasai hithau'n dyheu am fynd i rywle o olwg Nain. Ond mae'n rhaid ichi aros gartra am dipyn hefo babi. Fedrwch chi mo'i daflu o i'r car a'i chychwyn hi i rywle liciwch chi ac yntau'n ddim ond wythnosau oed.

Beth bynnag, roeddwn i'n gafael yng nghlicied y drws pan ffrwydrodd Llŷr trwy ddrws y cefn.

'Eisio ffeirio comics hefo Garmon tros ffordd,' gwaeddodd ar dop ei lais cyn carlamu fel ceffyl trol i fyny'r grisiau.

Ac, wrth gwrs, mi ddeffrodd y babi. Mi ddechreuodd sgrechian a sgrechian fel petasai'r byd ar ben.

'Gwenno . . .'

Dim ffeiars o beryg, meddyliais, ac mi agorais y drws fel llygoden a blaendroedio fy ffordd cyn gynted ag y medrwn i am y stryd.

'Whiw!' meddwn i wrthyf fy hun wrth drotian bron am dŷ Siw. 'Ys gwn i fedr geneth bedair ar ddeg allfudo? Mi fuasai'n well gen i fyw yn rhywle heblaw mewn tŷ hefo babi!'

Dydd Llun, Gorffennaf 16eg.

Chysgais i ddim neithiwr chwaith. Mae'r babi 'ma'n gwybod pryd i grio. Bore, pnawn a nos!

Dydd Mawrth, Gorffennaf 17eg.

Mi gafodd Llŷr chwip din. Am ddeffro'r babi a hwnnw newydd gysgu! Mi roedd 'na ryw ddarn bach ohona i'n llawenhau wrth ei weld yn beichio crio, ond mi roeddwn i'n cydymdeimlo'n ffyrnig hefyd. Annheg oedd cosbi Llŷr. Mae o'n byw yn y tŷ 'ma o flaen y babi. Felly nid Llŷr ddylai newid ei arferion . . . ond y babi, tê?

'Yli, tyrd hefo mi at Wil Siop Magi. Mi bryna i fferins iti.'

Sniffian yn ddigalon ddaru fo, ond mi ddaeth hefo mi'n ddigon sydyn wedi clywed am y fferins.

'Dydi Mam ddim yn fy licio i rŵan, yn nac ydi?' medda fo.

'Ydi siŵr,' meddwn i.

'Ond cha i wneud dim byd yn y tŷ rŵan. Dim rhedeg i fyny'r grisia na gweiddi na dim.'

'Y babi sy'n methu â chysgu, ysti.'

'Pam mae o eisio cysgu trwy'r dydd, ta?'

'Fel'na ma babis.'

Mi gerddodd Llŷr yn reit ddistaw wrth fy ochr i am dipyn. Yna dyma fo'n rhoi cic reit egr i gan Coke gwag oedd ar y palmant.

'Eisio iddi fynd â fo'n ei ôl sydd, tê?'

Mi brynais i Bubble Gum i Llŷr a bar Mars i mi fy hun. Waeth gen i am roi pwysau 'mlaen. Mae 'na gysur mewn pethau melys!

Dydd Mercher, Gorffennaf 18fed.

Mi ddaeth Siw draw heddiw. Bron â marw eisio gweld y babi, medda hi. Mae rhywbeth mawr o'i le ar rai pobl.

'Tshwci tshwc a dw dw,' medda hi a'i hwyneb yn stumiau meddal uwch ei ben. 'A phwy sy'n hogyn del, ta?'

Mi es i deimlo'n reit sâl. Mi'i dyffeia hi i lolian meddalwch uwch ei ben am ddau o'r gloch y bore ac yntau'n sgrechian fel petasai dannedd gosod Nain bron â'i lyncu.

'Mae o'n grêt, yn tydi, Gwenno?' A dyma hi'n plygu drosto fo eto. 'A hogyn pwy ydi'r peth bach del? Tshwci tshw? Hogyn Siw Miw, ia?'

Nefi! Siw Miw! Os mai peth fel hyn ydi cael ffrind i'r tŷ, mi wna i hebddo.

'Be di 'i enw fo, Gwenno?' medda hi gan ei lyncu bron â'i llygaid.

'Rhodri . . . am wn i,' meddwn i.

'Be wyt ti'n 'i feddwl . . . am wn i?'

Roeddwn i wedi cael llond bol ar sôn am fabis.

'Dew, wn i ddim,' meddwn i'n reit siort. 'Eu busnes nhw ydi o, tê?'

Mi edrychodd Siw arna i fel petasai hi wedi cael rhyw weledigaeth fawr.

'Cenfigennus wyt ti. Cenfigennus o'r babi. Gwenno, sut y medri di!'

Mi wylltiais i'n gacwn. Y fi'n genfigennus? Dim o'r fath beth.

'Rwyt ti'n gwybod nad ydw i'n licio babis,' meddwn i'n guchiog.

'Y peth bach diniwed,' medda Siw. 'Dwyt ti ddim yn haeddu cael brawd bach.'

'A dim eisio un chwaith,' meddwn i.

Rhywsut ddaru Siw na minna ddim mwynhau gweddill y pnawn. Roedd ei geiriau hi'n mynnu aros yn fy meddwl i. Sut y medrai ffrind gorau *feddwl* y fath beth?

Gwahanu'n reit ffwrbwt ddaru ni a rhyw hanner gaddo cyfarfod cyn diwedd yr wythnos. Ydi'r babi 'ma am sbwylio popeth?

Dydd Iau, Gorffennaf 19eg.

Be wna i am yr wythnosau o wyliau haf?

Dydd Gwener, Gorffennaf 20fed.

Fedra i ddim cael awr yn hwyr yn fy ngwely. Ddim a minna ar y landin a phawb yn croesi'n ôl ac ymlaen i'r toiled, y babi'n crio, Dad yn codi i fynd i'w waith a Nain yn mynnu codi'n fore i helpu.

Mae pawb yn ddrwg ei dymer. Dad am nad ydi o eisio wynebu Nain amser brecwast na chael bacwn a bara saim a phethau felly, Mam am fod y babi'n crio ac yn cau cysgu ac yn taflu i fyny ar ôl ei fwydo, Nain am nad ydi hi'n ddigon da i godi'n fore ond ei bod hi'n benderfynol o wneud, Llŷr am na chaiff o sboncio a neidio a chadw reiat . . . a Gwenno, wel, mae tymer ddrwg arna i am fod popeth o chwith yn y lle 'ma, ac am fy mod i wedi hanner ffraeo hefo

Siw . . . ac am nad oedd hi gartra pan ddaru mi ffonio i ymddiheuro.

Dydd Sadwrn, Gorffennaf 21ain.

Diolch byth! Rydw i'n gweithio hefo Wil Siop Magi heddiw.

'A sut ma'r babi newydd?' oedd ei eiriau cyntaf.

Siwgr gwyn!

'Iawn,' meddwn i'n siort.

Mi ddaeth at fy ochr a gwenu'n giamllyd.

'Dipyn bach o bractis iti, yn bydd? Oes gen ti gariad?'

Digywilydd!

'Hogan ddel fel ti. Mae'n siŵr fod gen ti un.'

A dyma fo'n estyn ei fraich amdana i ac yn fy nhynnu ato.

Mi neidiais fetrau. Ych! Mae 'na arogl drwg ar ei wynt, ac mae blew yn tyfu o'i drwyn . . . ac mae o'n *hen*!

'Ylwch,' meddwn i'n bendant. 'Dydw i ddim eisio misti-manars, neu mi ddeuda i wrth Nain.'

'Ia . . . wel . . .' medda fo â rhyw wên ryfedd ar ei wyneb.

Dydw i ddim yn gwybod prun ai o ddifri ta cellwair mae o, a fedra i ddim sôn wrth Mam. Na Dad chwaith. Ond mi sonia i wrth Nain.

Mi ffoniais Siw amser cinio.

'Dŵad i'r dre?' meddwn i.

'Iawn,' medda Siw. 'Mi wela i di bws ddau.'

Mi rois i ochenaid o ryddhad. Roedd Siw wedi anghofio am y funud fach annifyr a fu rhyngddon ni. Ond erbyn meddwl, y hi ddylai ymddiheuro i *mi*. Am fy nghyhuddo o genfigen. Ond doedd ots rhwng ffrindia.

Mae Siw a minnau'n licio cael rhyw awr fach ar ein pennau ein hunain cyn cyfarfod Derec Wyn a Prysor weithiau. Awr fach i browla'n hamddenol yn y siopau dillad a thrio'r hyn a'r llall os byddwn yn ei ffansïo.

Mi welais i bâr o 'shorts' ardderchog yn Sbectrwm. Rhai pinc hefo belt cynfas. Ac mi roedd 'na grys T yr union liw i fynd hefo nhw hefyd.

'Tria nhw,' medda Siw. 'Mi edrychan yn grêt iti.'

'Wn i ddim,' meddwn i rhwng dau feddwl. 'Efallai y buasai rhai melyn yn well.'

'Cymra'r ddau,' medda Siw gan daflu synnwyr cyffredin i'r gwynt.

Mi ges i ffit o giglan wrth ddychmygu cyrraedd adra a dangos dau bâr o 'shorts' i Nain Tawelfa achos mae hi'n gadarn drybeilig yn erbyn 'gennod yn smalio bod yn hogia' chwedl hithau.

'Ew,' meddwn i wrth eu gwisgo. 'Ydyn nhw'n gwneud fy nghoesau i edrych yn dew? A mhen ôl i?' meddwn i wedyn wrth drio gweld fy nghefn yn y drych.

'Yn fawr . . . ac yn dew . . . ac yn grwn . . . ac yn sgwâr. Dewis be lici di,' medda Siw gan chwifio'i breichiau fel pe buasai hi'n blismon yn rheoli traffig.

'O'r het! Na, deuda'r gwir,' meddwn i gan giglan.

'Wel, os wyt ti eisio fy marn broffesiynol . . . gadarn . . . werth chweil . . . arbenigol i . . .' cychwynnodd Siw.

Ond cyn iddi ddeddfu'n derfynol mi ymddangosodd pen rhyw ddynes ffroenuchel a berthynai i'r siop heibio i gongl y llenni.

'Now girls, this is a fitting room, not a giggling chamber. Get on with it. There are others waiting.'

Mi aeth wyneb Siw yn biws wrth drio peidio â chwerthin yn ei hwyneb.

'Bron â gorffen, Miss,' medda hi'n felys.

Penderfynu prynu'r rhai pinc wnes i . . . a'r crys T i gydfynd hefyd.

'Faint ydyn nhw, dywed?' holais gan wneud llygaid bach ar y tag pris.

'Tasa tithau yn cael sbectol,' medda Siw, 'fuasai 'na ddim angen imi'i ddarllen o trosot ti.'

'Ia, . . . ond faint?'

Dydw i ddim am gyfadda wrth neb bod arna i angen sbectol. Ddim nes y bydda i'n hen, hen.

'Mi wn i,' medda Siw wrth ddŵad allan o'r siop. 'Mi awn ni i lan y môr wythnos nesa. Mynd hefo bws yn y bore a mynd â phicnic hefo ni.'

'Pwy? Jest y chdi a fi?' meddwn i'n amheus.

'Naci, siŵr. Prysor a Derec Wyn hefyd. Www! Mi gawn ni ddiwrnod ardderchog. Gorwedd ar y traeth yn ein siwtiau nofio ac yfed lliw haul i'n crwyn, a sŵn y môr yn ein clustiau ni . . .'

Roedd Siw wedi llyncu'r pictiwr! Ac mae'n rhaid i minnau gyfaddef, mwya'n y byd y meddyliwn i am y peth, mwya'n y byd yr oeddwn i'n dyheu am gael mynd.

Meddyliwch! Diwrnod cyfan heb fabi yn crio na neb yn gweiddi 'Gwenno!' A finna yn gwisgo fy 'shorts' pinc newydd a'r crys T. Mi fedrwn fy ngweld fy hun yn eistedd yn ddeniadol wrth ochr Derec Wyn ar y bws. Mi fyddai pawb yn sbïo arna i ac yn fy ngweld i'n hogan olygus ffasiynol, ac yn meddwl bachgen mor lwcus oedd Derec Wyn. Wedyn mi fuaswn i'n gorwedd ar y traeth yn fy siwt nofio ac mi fyddai Derec Wyn yn gorwedd wrth fy ochr i . . . a dim yn tynnu ei lygaid oddi arna i am fy mod i mor ddel . . . yn bot mêl ac yntau'n wenynen! . . . a'i fod o ofn yn ei galon i rywun fy nwyn i oddi arno.

Roedd Prysor a Derec Wyn yn ein disgwyl wrth y cloc.

'Gennod eto,' medda Prysor gan wneud sioe fawr o gamu'n ôl ac astudio wyneb y cloc uwchben. 'Does gan-ddyn nhw ddim *syniad* o amser.'

'Dim ots am hynny rŵan, rydw i wedi cael syniad,' medda Siw.

'Yyyyyy!' ochneidiodd y ddau ohonyn nhw hefo'i gilydd.

'Syniad ardderchog,' pwysleisiodd Siw. 'Mi awn ni i gyd i draeth Aber dydd Llun. Mynd â phicnic hefo ni.'

Roedd pawb yn cyd-weld, felly mynd wnawn ni. Does ond gobeithio y bydd hi'n un o'r dyddiau poeth heulog 'na er mwyn imi gael gwisgo fy 'shorts' newydd.

Dydd Sul, Gorffennaf 22ain.

Wel, sôn am storm o awyr glir! Mi soniais am y trip dydd Llun amser brecwast. Mi fuasech yn meddwl fy mod i am ddwyn coron yr eisteddfod!

'Penderfynu'r petha 'ma heb hyd yn oed ymgynghori hefo dy dad a'th fam,' medda Mam uwch sgrechian y babi.

Wn i ddim pam na fuasai hi'n ei adael yn y llofft. Mi fuasai'n medru sgrechian yn fan'no run fath yn union.

'A be wyddet ti beth fydd eisio'i wneud yn y tŷ 'ma?' medda hi'n reit gwynfanllyd. 'Dyma'r unig gyfla rydw i'n ei gael i dderbyn tipyn o help yn y lle 'ma.'

'Rhaid iti feddwl mwy am dy fam,' cytunodd Dad. 'Ma ganddi hi ddigon i'w wneud. Hefo'r babi a phopeth.'

'A hefo'r "popeth" 'ma rwyt ti'n golygu dy fam dithau, debyg,' medda Nain Tawelfa gan ymuno yn y frwydr.

Mi rwbiodd Dad ei law trwy'i wallt yn ffrwcslyd.

'Nac ydw, siŵr, Mam,' medda fo'n annifyr ei lais. 'Dim ond bod gan Menai ddigon i'w wneud . . . a ma'n bryd i Gwenno sylweddoli hynny, a helpu dipyn arni hi.'

'Ma'r peth bach wedi helpu digon . . . a mwy,' medda Nain yn bendant. 'Rydw i'n synnu atoch chi'n manteisio ar hogan o'i hoed hi. Hogan ysgol sydd eisio'r gwylia 'ma i ddŵad ati'i hun cyn y tymor nesa. Eich dewis chi oedd cael y babi 'ma . . . felly rhyngddoch chi a'ch potas.'

Mi roes ryw nod fach bendant iddi'i hun ac yfed ei the'n hamddenol.

Wel! Mi roedd fy nghalon i'n cynhesu tuag at Nain. Pwy fuase'n meddwl y buasai hi'n ochri hefo mi a hithau wedi pregethu gymaint am ba mor galed y gweithiodd hi yn ifanc a ballu? Peidied neb â dweud wrtha i nad oes gwyrthiau'n cael eu cyflawni yn y byd 'ma o hyd. Ond tybed ai croesi Mam ac nid ochri hefo mi mae hi?

'Myrddin . . .' medda Mam a'i hwyneb yn fflamgoch.

Dyma hi'n gafael yn dynn yn y babi nes roedd hwnnw'n sgrechian mwy nag erioed ac yn rhuthro am y lolfa.

'Ylwch be dach chi wedi'i wneud rŵan,' medda Dad ac i ffwrdd â fo ar ei hôl hi.

'Paid ti â rhoi i fyny iddyn nhw,' medda Nain. 'Ma gen ti hawl i dy amser dy hun.'

Dew!

'Ga i ddŵad hefyd?' holodd Llŷr.

'Na chei,' meddwn i'n bendant.

A chyn ichi fedru dweud Un Dau, mi ddechreuodd hwnnw grio hefyd.

'Taw â dy sŵn,' medda Nain yn awdurdodol. 'Y funud 'ma, Llŷr.'

Mi gafodd Llŷr gymaint o sioc fel yr ataliodd ei hun ar ganol bloedd. Fel arfer, mae o'n ffefryn gan Nain ac yn cael Polo Mints ganddi pan fydd hi mewn tymer dda.

'Ylwch Mam,' medda Dad gan ddŵad yn ôl i'r gegin. 'Mi rydach chi wedi ypsetio Menai yn ofnadwy. Dydi hi ddim wedi cryfhau ar ôl y babi eto.'

'Dydw i wedi dweud dim ond yr hyn sydd angen ei ddweud,' medda Nain. 'Fedrwch chi ddim disgwyl i Gwenno redag o gwmpas fel morwyn fach o hyd.'

'Hwrê!' meddyliais.

Ond ni roeddwn i'n gweld pethau yn prysur fynd o ddrwg i waeth yn y lle 'ma. Fedrai Nain a Mam ddim byw o dan yr un to am hir heb ffrwgwd. Ac er fy mod i eisio cael fy llofft yn ôl, rywsut doeddwn i ddim yn licio gweld Nain Tawelfa'n cael ei throi allan chwaith. Roeddwn i'n dal i gofio am y dydd Sul hwnnw pan gyrhaeddon ni Dawelfa a hithau'n gorwedd yn anymwybodol ar y llawr.

Mi gefais i dipyn o sioc yr adeg honno. Ofni fy mod i am golli Nain er nad oedden ni'n gymaint â hynny o ffrindiau.

Dim fel rŵan . . . weithiau! Ac mi gafodd Dad sioc hefyd, achos mi roedd ei wyneb fel y galchen. Roedd o a Mam yn eu beio eu hunain. Dydyn nhw rioed wedi anghofio hynny, yn nac ydyn?

Ond mae Nain Tawelfa'n drybeilig o anodd byw hefo hi, yn enwedig os nad ydi hi'n cael ei ffordd ei hun. A rŵan, wedi i Mam ddŵad adra hefo'r babi newydd . . . fedra i yn fy myw ei alw'n Rhodri . . . Mam ydi'r bos, tê?

Wel, mi fu'r ffrae a'r beio a'r anghydweld yn rowlio o gwmpas fy mhen i trwy'r dydd. Ond y diwedd fu imi gael caniatâd i fynd fory ar yr amod fy mod i'n helpu hynny a fedrwn i am weddill yr wythnos. Fuasai fawr waeth gen i am yr amod petasai'r babi 'na yn stopio crio am hanner diwrnod.

Dydd Llun, Gorffennaf 23ain.

Haul ac awyr las! Gogoneddus! Mi neidiais o'r gwely cyn cŵn Caer a thynnu llenni'r landin i gael gweld yn iawn.

Mi gafodd y babi noson well na'r cyffredin, er imi'i glywed o'n sgrechian crio unwaith neu ddwy. Ond claddu fy mhen o dan y pilŵ ddaru mi a thrio meddwl am rywbeth arall.

Mi wisgais fy ngwnwisg a blaendroedio fy ffordd i lawr y grisiau cyn i neb ddeffro a gweiddi 'Gwenno!'. Mi syrthiodd fy ngên i braidd wrth edrych ar gloc y gegin a gweld mai dim ond chwarter i saith oedd hi. Ond mi agorais ddrws y cefn a sefyll ar y gorddrws gan dynnu awyr iach ben bore i fy ysgyfaint a dotio at y diferion gwlith yn sgleinio ar y gwelltglas.

Roeddwn i'n chwilio am eiriau i ddisgrifio'u harddwch . . . mi fydda i'n fy ffansïo fy hun fel bardd weithiau . . . er y buasai Wati Welsh yn cael strôc petaswn i'n dweud wrtho, pan rwbiodd rhywbeth gwlyb ei hun ar fy nghoesau.

'Aaww!' Mi roes fy nghalon dro ac mi anghofiais bopeth am farddoni. Ond Modlan drws nesa oedd yna yn dweud 'Bore Da' ac yn ffalsio eisio soseraid o lefrith.

Mi fu amser pan oedd Modlan wedi meddiannu'r mat o flaen ein tân ni, a Mr Preis drws nesa druan wedi trio popeth i'w rhwystro hi. Mi wariodd ffortiwn ar stwff 'No-go' o'r fferyllfa i geisio ei darbwyllo ble roedd ei gwir gartref. Mi fu 'na ambell i sgarmes rhwng Mam a hi, ond pan ddaeth Mam adre hefo'r babi newydd, doedd 'na ddim rhagor o groeso i Modlan.

'Ma cath y peth gwaethaf am haint,' medda Mam yn bendant wrth gau'r drws yn ei hwyneb. 'Yn tisian a gadael blew ymhobman. Gofalwch nad oes run ohonoch chi'n gadael iddi ddŵad i mewn eto.'

Roeddwn i'n pitïo'n arw dros Modlan, achos doedd hi ddim yn deall pam, yn nac oedd? A rŵan, mi roedd hi'n ei rhwbio ei hun ar fy nghoesau ac yn mewian yn dorcalon-nus fel petasai hi ar lwgu.

'Fydd neb ddim callach,' meddwn i wrthyf fy hun a throi i'r gegin a Modlan wrth fy nghwt.

Mi estynnais soser a nôl y botel lefrith o'r oergell, ac mi roedd Modlan wrthi'n llowcio'n braf pan ddaeth Mam i lawr y grisiau.

Wel, mi roedd yn rhy hwyr imi ymaflyd ynddi a'i rhuthro'n ôl i'r ardd. Felly sefyll fy nhir ddaru mi.

'Be ma'r gath 'ma'n 'i wneud yn y gegin?' holodd Mam mewn llais tymherus. 'Rydw i wedi dweud . . . rho hi allan y funud 'ma.'

'Ma hi jest â gorffen . . .'

'*Gwenno!*'

'O . . . ôl reit,' meddwn i'n reit guchiog. 'Doedd hi'n gwneud dim drwg.'

Mi ochneidiodd Mam a'i gollwng ei hun ar y gadair wrth y bwrdd.

'Rho'r tecell ymlaen, wnei di, Gwenno?' medda hi'n

flinedig. 'Rydw i newydd fwydo Rhodri. Hwyrach y gwnaiff o gysgu am dipyn rŵan.'

Te! Te! Maen nhw'n *byw* ar de yn y tŷ 'ma! Ond ufuddhau'n ddistaw wnes i wrth ei gweld hi'n edrych mor flinedig.

'Gysgoch chi, Mam?' gofynnais.

Ochneidio ddaru hi ac ysgwyd ei phen.

'Na, mi fuo Rhodri'n hir cyn bodloni. Swnian crio. Gwynt yn ei boeni, am wn i.' Ochneidiodd eto. 'Chefais i ddim trafferth fel'na hefo chdi na Llŷr. Roeddech chi'n fabis bodlon.'

Mi ddechreuais i bitïo braidd. Nid pawb sy'n cael babi anodd i'w drin a hithau tros ei deugain.

'Efallai y daw o'n well fel y tyfith o,' meddwn i.

'Gobeithio wir, neu wn i ddim be wna i.'

Cododd i wneud paned iddi'i hun.

'Dydw i ddim yn licio gweiddi arnat ti o hyd, ysti, Gwenno,' meddai a rhyw hanner gwenu arna i. 'Gofyn iti wneud yr hyn a'r llall byth beunydd. Ond rydw i'n teimlo mor flinedig . . . ac mae Rhodri'n crio gymaint . . . a dy Nain yn ymyrryd. Dydw i ddim yn gwybod ble i droi weithiau. Efalla fy mod i'n rhy hen i gael plentyn arall.'

Wel, roeddwn i'n credu hynny'n gry o'r dechrau, on'd oeddwn? A beth am y ffasiwn boen fûm i trwyddo wrth geisio magu dewrder i ddweud wrthyn nhw yn yr ysgol? Wrth Gwen a Gwawr a'r criw i gyd. Meddwl y buasen nhw'n cael hwyl am fy mhen. '*Ond ma dy fam yn hen!*'— dyna ddywedodd Gwen a'i hwyneb hi'n llawn malais. Dew! Mae rheini'n gwneud ichi ddiodda'n ofnadwy drostyn nhw weithiau.

'Hidiwch befo, Mam,' meddwn i. 'Mi ddaw pethau'n well, mi gewch chi weld.'

Mi eisteddon ni ein dwy mewn cwmwl o ddealltwriaeth wrth y bwrdd. Nid yn aml y byddwn ni'n cael munudau

23

felly. Dim ond y hi a mi a thawelwch heddychlon rhyngon ni.

'Y picnic 'ma,' medda Mam yn sydyn. 'Mae 'na dun samwn yn y cwpwrdd. Gwna frechdanau hefo hwnnw. Mae 'na baced o fisgedi hefyd. Oes gen ti ddigon o arian i'r bws?'

Mi gododd a phalfalu yn ei phwrs.

'Yli, cymer y bunt 'ma. Rhwbath bach i helpu. Rwyt ti'n gwneud digon i mi. Paid â meddwl nad ydw i'n gwerth-fawrogi.'

Esgob! Roeddwn i wedi nharo'n fud. Pwy fuasai'n meddwl, tê?

'Diolch, Mam,' meddwn i o'r diwedd.

'Ia . . . wel,' medda hi gan afael yn ei phaned a chychwyn am y llofft. 'Gobeithio y cei di ddiwrnod i'w gofio!'

Mae rhyw funudau fel'na yn codi cywilydd arna i, a finna'n cofio mor grasboeth danllyd roeddwn i yn erbyn gwaith tŷ a helpu a babis.

Mi es i â phaned i Nain cyn iddi gael cyfle i godi.

'Ylwch, Nain,' meddwn i. 'Arhoswch chi yn eich gwely am dipyn. Mi wna i frecwast i Dad.'

'Ble ma fy nannadd gosod i, dŵad?' medda hi cyn ateb.

Siwgr gwyn! Mi fydda i'n cofio am ddannedd gosod Nain pan fydda i'n gant!

'Dyma nhw, Nain, ar y bwrdd bach.'

Yn ddigon agos iddi estyn ei llaw a gafael ynddyn nhw ei hun. Ond, na!

'Estyn nhw imi, wnei di? Fedra i ddim yfad fy nhe heb-ddyn nhw.'

Erbyn imi wneud brecwast a thorri brechdanau a golchi'r llestri, roedd hi'n hwi rhed arna i. Mi garlamais i'r llofft (cyn ddistawed ag y medrwn i rhag deffro'r babi) a neidio i'r 'shorts' pinc a'r crys T. Mi gythrais i'n siwt nofio a thywel a'm bag colur a'i heglu hi i lawr y grisiau wedyn.

'Mynd rŵan, Nain,' meddwn i gan ruthro i'r gegin a bachu'r bag bwyd oddi ar y bwrdd.

'*Trowsus* ydi'r peth 'na sydd gen ti amdanat?' gofynnodd Nain.

'Shorts,' meddwn i gan ddisgwyl andros o storm.

Ond ysgwyd ei phen yn reit wamal ddaru Nain.

'Ma'r byd 'ma'n mynd yn rhyfeddach bob dydd,' medda hi.

Ond mi allaswn i daeru fod 'na lygedyn o ddigrifwch yn ei llygaid.

'Oedd neb yn gwisgo "shorts" pan oeddech chi'n ifanc, Nain?' mentrais yn ddiniwed.

'Dos o'ma wir,' medda hi. 'Nid na fuaswn i wedi medru petasai'r ffasiwn bethau'n bod, cofia. Mi roedd gen i ffigur da. O . . . oedd.'

Rargol! Mi roedd hi wedi meddalu'n ddiweddar! Ond doedd gen i ddim amser i siarad.

'Ta ta,' meddwn i yng ngwaelod y grisiau gan ofalu peidio â gweiddi rhag ofn i'r babi ddeffro . . . ac i ffwrdd â mi.

Roeddwn i'n gwybod fod y 'shorts' pinc yn fy siwtio i'r dim, petasai ond am yr olwg ar wyneb Derec Wyn pan welodd o fi. Mi aeth 'na ias fach od i fyny f'asgwrn cefn ac mi aeth fy wyneb i'n boeth ryfeddol, a rywsut roedd hi'n anodd imi edrych yn myw ei lygaid.

'*Pishyn*!' medda Derec Wyn yn fy nghlust wedi inni eistedd ar y bws.

Wedi cyrraedd y traeth, mi chwiliason ni am gongl snec i ni ein hunain yn ddigon pell o'r criwiau pobl a oedd ar y traeth. Mi gawson ni le ardderchog rhwng y ponciau. Digon o le i ddaenu'r tywel mawr glan y môr ar y tywod ac i osod ein bagiau yn ei ymyl.

'Y cyntaf i gyrraedd y dŵr,' gwaeddodd Prysor gan daflu'i grys a'i drowsus heibio a sefyll yn barod yn ei siwt nofio.

'Ylwch y cyhyrau 'ma,' ymffrostiodd gan blygu'i freich-iau.

'Ymhle?' gofynnodd Siw. 'Y lympiau bach 'na ar dy freichiau, wyt ti'n ei feddwl?'

'Yli di,' medda Prysor.

Gafaelodd ynddi a'i thynnu ar ei thraed.

'Tyrd am y dŵr 'na. Brysia. Mi ddangosa i iti be 'di cy-hyrau.'

'Wwww! Aros!' gwaeddodd Siw. 'Dydw i ddim wedi gwisgo fy siwt nofio eto. Trowch eich cefnau, y chi'r bechgyn, i mi a Gwenno gael newid.'

'Oes rhaid?' cwynodd Prysor.

'Oes,' medda Siw a minnau hefo'n gilydd.

Ufuddhau ddaru nhw, er bod Prysor yn bygwth troi rownd bob yn hyn a hyn. Jest i gael cip ar y gweithgar-eddau, medda fo.

Mi neidiais i fy siwt nofio cyn gynted ag y medrwn i . . . yn ddiogel o dan y tywel . . . jest rhag ofn i Prysor a Derec Wyn dorri'u hadduned. Ac yna mi roedden ni'n rhedeg yn griw chwerthinog am y dŵr.

Roedd Prysor ymhell ar y blaen ond mi ddisgwyliodd Derec Wyn a gafael yn fy llaw a rhedeg ochr yn ochr hefo mi ar draws y tywod . . . ac mi roedd o'n gwenu arna i . . . ac yn gwasgu fy llaw . . . ac mi roedd y môr yn las las a sioc y rhedeg i mewn iddo'n gwasgu ar fy ysgyfaint am eiliad. Yna mi roedden ni'n nofio ochr yn ochr, ac yn aros a throedio'r dŵr bob yn hyn a hyn i dasgu'r diferion am bennau ein gilydd, ac mi roeddwn i'n chwerthin . . . a chwerthin . . . a chwerthin, ac yn ymhyfrydu yng nghyff-yrddiad ei law ar noethni fy nghefn.

Yna mi daflon ni ein hunain ar y tywel glan môr a jest diogi ac edrych ym myw llygaid ein gilydd . . . a gwenu heb ddweud dim . . . nes roeddwn i'n dal fy anadl am eiliadau hir rhag ofn i'r chwysigen hapusrwydd a dyfai o'm mewn ffrwydro'n fân fân a'm sgubo inna'n chwilfriw hefo hi.

'Ew! Mi roedd y dŵr 'na'n grêt,' medda Siw gan ei gollwng ei hun ar y tywod. 'Wn i ddim beth oeddech chi eisio dŵad allan mor fuan.'

Palfalodd yn y bagiau bwyd.

'Be sy 'ma, bois? Rydw i ar lwgu.'

Mi eisteddon ni'n griw i fwynhau brechdanau a sosej rôls a chreision a chaniau Coke, a bisgedi wedyn. Yna mi orweddodd pawb yn llegach ddigon i ddŵad atynt ein hunain.

'Rhwbia hwn ar fy nghefn i, Gwenno,' medda Siw gan estyn potelaid o olew haul.

'Os gwnei di i mi wedyn,' meddwn i'n ddiog gan gofio am y botelaid oedd gen innau yn fy mag colur.

Mi fuaswn i'n cysgu yn y fan a'r lle petaswn i'n cael cyfle. Ond erbyn imi rwbio'r olew i gefn Siw a gorwedd fel cath yn canu grwndi wedyn iddi hithau rwbio fy nghefn innau, roedd y bechgyn ar dân eisio symud. Fel'na mae hogiau, fel petasai cynrhon yn aflonyddu arnyn nhw o hyd.

'Ewch chi,' medda Siw yn ddiog. 'Rydw i am orwedd nes y bydda i'n frown frown.'

'Coch coch fyddi di,' wfftiodd Prysor. 'Tyrd, Siw, paid â bod mor ddiog.'

Mi rwgnachodd Siw am gryn bum munud, ond codi ddaru hi am fod Prysor mor daer.

'Dydw i ddim yn mynd i'r dŵr eto a finna newydd roi olew ar fy nghefn,' medda hi'n bendant. 'Wyt ti'n clywed, Prysor Jâms?'

'Iawn. Mi gerddwn ni ar hyd y traeth, ta,' medda hwnnw'n reit siomedig.

'Dach chi'ch dau yn dŵad?' gofynnodd Siw.

'Yn y munud,' medda Derec Wyn.

Mi edrychais i'n reit syn arno fo, achos ychydig funudau'n ôl roedd o'n dyheu am wneud rhywbeth heblaw eistedd. Ond gwneud llygaid bach arna i ddaru fo mewn atebiad, a dweud dim.

'Eisio inni gael amser ar ein pen ein hunain, tê?' medda fo ar ôl i Siw a Prysor ymadael.

'O . . . ia,' meddwn innau braidd yn gloff a dechrau gwrido fel ffŵl.

'Ia,' medda fo gan wasgu fy llaw a dechrau chwarae hefo fy mysedd.

'O . . .' meddwn i a gwrido fwyfwy.

Rydw i wedi darllen wn i ddim faint o gylchgronau ac wedi gweld cynghorion fil ynddyn nhw ar sut i reoli gwrid a ballu. Ond does run o'u cynghorion nhw'n gweithio.

Mi roedden ni'n eistedd wyneb yn wyneb ac yn plygu 'mlaen heb drio rywsut nes roedden ni'n cusanu. Rhyfedd! Mi aeth 'na gant a mil o bethau trwy fy meddwl i. Poeni ble roedd Siw a Prysor rhag ofn iddyn nhw ddŵad yn ôl a'n gweld, poeni fod rhywun arall yn sbecian arnon ni o ddirgelwch y ponciau, a meddwl fod bod mewn cariad hefo Derec Wyn y profiad gorau ges i rioed.

'Well inni fynd ar eu hôl nhw,' meddwn i wedi inni wahanu o'r diwedd.

'Ym . . .' medda Derec Wyn a rhoi cusan arall imi.

'Na, wir rŵan. Neu mi fyddan nhw'n methu â gwybod ble rydyn ni.'

Wn i ddim pam roeddwn i mor daer eisio'u dilyn nhw a finna'n toddi bron wrth gusanu Derec Wyn.

'Iawn ta,' meddai fo a chodi heb ollwng ei afael arna i.

Yna mi roedden ni'n cerdded dow-dow a'i fraich o'n dynn am fy nghanol a'm braich innau am ei ganol yntau a fûm i rioed mor hapus. Rioed!

Fe safai Siw a Prysor i ddisgwyl wrthyn ni yn y pellter.

'C'mon, y malwod!' galwodd Siw.

Mi gerddon ni mhell bell ar hyd y traeth . . . a hel cregyn . . . a rhedeg yn ôl ac ymlaen i'r môr . . . a gwneud patrymau hefo'n traed wrth lan y dŵr a lladd ein hunain yn chwerthin wedyn wrth weld y tonnau'n eu bwyta fesul un ac un.

'Dew! Faint ydi hi o'r gloch?' gofynnodd Siw yn sydyn. 'Mae'n well inni ddal y bws bump, yn tydi?'

Ond doedd gan run ohonon ni syniad. Roedd y watsys gyda'r pethau ar y traeth.

'Gorau ras,' gwaeddodd Siw ac i ffwrdd â hi fel rhedwr Olympaidd.

Mi gyrhaeddon ni'r gongl snec a'n gwynt yn ein dwrn . . . ac fe'n trawyd yn syfrdan. Doedd yna ddim yno. Dim byd! Dim tywel na bagiau na dillad na dim.

'Ble maen nhw? Ydan ni yn y lle iawn?' holodd Siw yn wyllt gan droi i lygadu'r traeth fel petasai hi'n disgwyl gweld popeth yn rhibidirês fentrus ar y tywod.

'Mae rhywun wedi'u dwyn nhw,' medda Prysor. 'Y diawliaid!'

Mi redodd o a Derec Wyn i ben y boncen agosaf a chraffu i bob cyfeiriad. Ond doedd neb i'w weld . . . neu neb yn stelcian i ffwrdd yn euog beth bynnag.

'Fy "shorts" pinc i,' gwaeddais inna'n sydyn. 'A fy nghrys T. Newydd eu prynu nhw.'

Roeddwn i bron â chrio. A meddwl fy mod i wedi gweithio oriau hefo Wil Siop Magi, ac wedi prynu'r dillad hefo fy arian fy hun . . . a bod rhyw leidr felltith wedi'u dwyn nhw.

Ond tybed oedden ni yn y lle iawn? Efallai mai nes ymlaen ar y traeth y buon ni'n eistedd.

'Paid â bod yn ffŵl, Gwenno,' medda Derec Wyn yn biwis pan ddaru mi grybwyll fy amheuon. 'Sbïa, dyma nhw'r caniau Coke gwag.'

Wel, doedd dim angen iddo siarad fel'na hefo mi, yn nac oedd?

'Wel, os oes gen ti syniad gwell,' meddwn i'n bwdlyd. 'Mae'n rhaid inni wneud *rhywbeth*! Ac arnom ni ma'r bai am eu gadael nhw yma, yntê?'

Ond troi ei gefn yn guchiog ddigon ddaru fo a rhoi andros o gic i'r tun Coke agosaf.

'Mi groga i pwy bynnag ddaru,' meddai.

'Be 'di'r iws bygwth a neb yma,' meddwn inna yr un mor biwis.

(Pwy fuase'n meddwl y buaswn i'n ffraeo hefo Derec Wyn ar ddiwedd diwrnod mor fendigedig?)

Roedd y traeth yn prysur wagio erbyn hyn. Mi gododd awel oeraidd o rywle a phan edrychais i fyny mi welwn gymylau duon yn crafangio'u ffordd i orchuddio'r haul. Mi aeth fy nghorff yn groen gŵydd i gyd.

'Brrr!' meddwn i a cheisio fy lapio fy hun yn fy mreichiau. 'B-be wnawn ni-ni?'

'Chwilio am blisman,' medda Derec Wyn.

'Ond sut awn ni adra?' gofynnodd Siw mewn llais yn codi'n sgrech. 'Roedd y tocyn bws yn fy mag i.'

Mi gychwynnon ni'n ddigon tawedog am y pentre.

'Ylwch y cwmwl 'na,' medda Prysor. 'Mae hi jest â bwrw glaw. Brysiwch, gennod.'

Ond roedden ni wedi cyrraedd y ffordd fach a arweiniai i'r pentre erbyn hyn a fedr neb frysio'n droednoeth ar gerrig mân. Roedd fy nhraed i'n bigiadau llosg bob cam a roddwn i.

'Ewch chi,' ebychodd Siw. 'Fedra i ddim brysio.'

'Pa mor bell ma swyddfa'r heddlu?' gofynnais. Yna mi drawodd syniad ofnadwy fi. '*Oes* na un?'

Pentre bach ydi Aber. Dim ond rhyw ddwsin o dai a siop gwerthu popeth.

Erbyn hyn roedd fy nannedd yn clecian fel castanéts a rhai Siw hefyd.

'R-rydw i-i'n o-er,' meddwn i'n dorcalonnus. 'A m-ma fy n-nhraed i'n brifo.'

Yna i goroni popeth dyma hi'n dechrau bwrw glaw. Diferion mawr cymaint â cheiniogau . . . ac yna mi ddaeth mellten sydyn a tharan anferth wedyn i ddrybowndio'n union uwchben.

Mi sgrechiodd Siw a'i thaflu ei hun i freichiau Prysor. Fedr hi ddim diodda mellt a tharanau. Dydw inna ddim yn rhyw or-hoff ohonyn nhw chwaith ond fy mod i'n medru fy rheoli fy hun. Mewn chwinciad roedden ni'n wlyb domen.

'Oo,' ebychodd Siw yn dorcalonnus. 'Dowch inni guro ar y drws agosa. Mae rhywun yn siŵr o'n helpu ni.'

Roedd 'na fyngalo ychydig bellter o'r ffordd.

'Fan acw,' medda Prysor. 'Dos i gnocio, Derec Wyn.' (Roedd o'n rhy brysur yn cysuro Siw i wneud ei hun.)

Mi gerddon ni'n fintai wlyb at y drws. Ond er inni guro a dobio a chanu'r gloch, ddaru 'na neb ateb.

'Does 'na neb gartra,' medda Derec Wyn. 'Waeth inni gerdded ymlaen i'r pentre ddim.'

'Dydw i ddim yn symud cam,' medda Siw. 'Tria ddrws y sied 'na, Prysor. Jest tria fo. Plîs!'

Doedd 'na ddim clo arno. Mi edrychon ni braidd yn amheus ar ein gilydd am eiliad. Wedi'r cwbl, dydych chi ddim yn cerdded i mewn i siediau pobl fel petasai piau chi nhw. Ond fel roedden ni'n petruso, fe ffrwydrodd mellten arall uwchben a dyma'r glaw yn tywallt fel o grwc.

'Oooo . . .' Mi ddaliodd Siw ei dwylo ar ei chlustiau a rhuthro i'r sied fel pe buasai'r diafol ei hun ar ei hôl.

Wel, doedd run ohonom ninnau'n ddigon o ffŵl i sefyll tu allan yn y ffasiwn storm. Felly dyma ni'n ei heglu hi i mewn wrth ei sodlau.

'Mi fydda i'n s-siŵr o gael niwmonia,' cwynodd Siw. 'Rydw i bron â chorffi.'

'Tynnwch y siwtiau gwlyb 'na . . .' cychwynnodd Derec Wyn.

Eu tynnu nhw? Mi edrychais i fel het arno!

'Os wyt ti'n meddwl fy mod i am wneud sioe ohonof fy hun . . .' meddwn i'n chwyrn.

31

Mi gefais i sioc ofnadwy wrth ei glywed yn cynnig y ffasiwn beth. Trio troi'n secsi oedd o? Dim ffeiars. Ond mi fu'n rhaid imi lyncu fy amheuon hefo'i eiriau nesaf.

'Na, ylwch,' medda fo. 'Mae 'na hen gynfasau yn bentwr yn fa'ma. Dim ond dipyn o olion paent arnyn nhw. Mi fyddan yn well na siwtiau gwlyb inni i gyd.'

A dyma fo'n datod un a'i hysgwyd nes roedden ni'n pesychu mewn cymylau o lwch.

'Howld on,' medda Prysor. 'Dydw i ddim eisio marw o lwch ar yr ysgyfaint, y lob! C'mon, gennod.'

Mi sbïodd Siw a minnau yn reit bethma ar ein gilydd.

'Wel, mi rydw i am stripio,' medda Derec Wyn. 'Be amdanat ti, Prysor?'

A dyma'r ddau yn gafael mewn cynfas yr un ac yn ei threfnu'n glogyn tros eu hysgwyddau ac yn tynnu'u siwtiau o'r golwg oddi tani yn reit sidêt. Wel, wedi gwylio'r perfformiad hwnnw doedd 'na ddim rheswm yn y byd i Siw a minnau nogio 'mhellach. A chyda rhyw nod fach ar ein gilydd, dyma ninnau'n gwneud yr un fath. Yna mi gymeron ni gynfas arall a rhwbio gwalltiau ein gilydd i sychu tipyn arnyn nhw.

Roedd hi'n dal i fwrw hen wragedd a ffyn y tu allan, a doedd 'na ddim golwg atal arni hi chwaith. Mi safon ni'n ddigon penisel am ychydig gan edrych allan trwy'r ffenest llawn gwe pryf cop. Roeddwn i'n dyheu am weld y glaw yn peidio ac mi roeddwn i'n dechrau poeni'n ofnadwy am sut roedden ni am ddarganfod rhywun i'n helpu . . . a phoeni mwy am sut roedden ni am fynd adra wedyn hefyd.

Ac er bod y cynfasau'n gynhesach na siwtiau nofio gwlyb, doedden nhw ddim mor gynnes â hynny, ac mi fedrwn i deimlo'r cryndod yn rhedeg i fyny ac i lawr fy nghefn. Mi roedd bodiau nhraed i'n *biws*!

Yna mi ddaeth 'na sŵn car y tu allan, a'r peth nesaf a welson ni oedd gŵr a gwraig yn neidio allan o'r car ac yn ei heglu hi am y byngalo.

32

'Rhed i ddweud wrthyn nhw,' medda Siw a'i llais yn crynu gan oerni.

'Ia . . . wel,' medda Prysor a Derec Wyn gan sbïo'n ansicr ar ei gilydd. 'Ym . . . ia . . . ym . . .'

'Wel, am be dach chi'n disgwyl?' meddwn inna. 'Efalla y gwnân nhw ffonio adra trosom ni.'

Ond roedd hi'n dal i arllwys y glaw y tu allan, a doedd gan y bechgyn ddim byd ond cynfas tenau bratiog amdanynt fel ninnau, a doedd run ohonyn nhw eisio rhedeg trwy'r glaw i wynebu llygaid syn oedolion ar garreg drws y byngalo.

'Be wnawn ni, ta?' holodd Siw a'i llais yn codi'n wich fach od. 'Fedran ni ddim aros yma trwy'r nos.'

'Mi a i,' medda Derec Wyn yn ddewr. 'Egluro iddyn nhw . . .'

Mi lyncodd ei boer gan edrych fel petasai o'n paratoi i wynebu rhes o ynnau'r fyddin. Roeddwn i'n meddwl y byd ohono fo wrth ei weld yn barod i fentro trosom ni.

'Ia . . . wel, mi a i, ta,' medda fo'n ansicr.

Mi afaelodd yn dynn yn ei gynfas ac anelu ar ras droednoeth am ddrws y tŷ. Ac mi roedd o bron â chyrraedd pan sathrodd gongl y gynfas a disgyn yn lleden noeth i ganol pwll o ddŵr.

Siwgr gwyn! Wyddwn i ddim prun ai chwerthin wnawn i, ta be. Mi roedd golwg od ofnadwy arno fo'n swalpian ar ei fol ar lwybr yr ardd. A hynny yn ei siwt ben-blwydd!

'Paid â dangos dy ben ôl i bawb,' galwodd Prysor gan ei ladd ei hun yn chwerthin.

Mi rois i hergwd reit gïaidd iddo fo.

'Chwara teg, Prysor,' meddwn i'n chwyrn. 'Doeddet ti ddim am fynd.'

Yn fy ngwylltineb roeddwn i wedi anghofio gafael yn dynn yn fy nghynfas, ac mi fu bron imi â'i golli. Mi fedrwn i deimlo'r gwrid yn ffrydio i fy wyneb fel y trodd Prysor i chwerthin am fy mhen inna hefyd.

Ond fedrwn i ddim gwastraffu amser yn meddwl amdanaf fi fy hun. Beth am Derec Wyn?

Mi'i gwelwn yn ymaflyd yn ei gynfas ac yn codi'n wyllt dymherus o'r dŵr. Fe'i lapiodd rywsut rywsut amdano a rhuthro am y tŷ. Ond fe agorodd y drws cyn iddo'i gyrraedd.

'Be ar y ddaear, hogyn, . . .?'

Petaswn i'n byw i fod yn gant wna i byth anghofio gweddill y diwrnod. Mi ddiflannodd Derec Wyn i'r tŷ hefo'r dyn, a'r peth nesa a welson ni oedd hwnnw'n ei brasgamu hi am y sied hefo ymbarél cymaint â thalcen tŷ.

Mi ledaenodd golwg od tros ei wyneb pan welodd o ni'n tri yn y sied, rhywbeth rhwng dweud y drefn a chwerthin. Ac mi fuaswn i'n medru trengi o gywilydd wrth wynebu ei wraig wedyn yn y gegin a chanfod yr un olwg ar ei hwyneb hithau.

Mi gawson ni fenthyg dillad . . . a'r rheiny filltiroedd yn rhy fawr, ond mi roedd *rhywbeth* yn well na chynfas. Mi ffoniodd y dyn i riportio'r lladrad, ac mi ffoniodd ein cartrefi ni i egluro'r helynt. Yna mi gawson ni gawl tun chwilboeth a chael eistedd wrth dân trydan ar ei uchaf wres tra oedden ni'n disgwyl i rywun ein nôl ni.

Tad Derec Wyn gyrhaeddodd.

'Wel, wel,' medda fo, 'fedrwn ni mo'ch gadael chi am eiliad, yn na fedrwn, blantos?'

Plantos? Roeddwn i'n teimlo tua phump oed. A'r un oedd y gân wedi imi gyrraedd adre.

Pam na fuaset ti'n fwy gofalus o dy bethau? Colli wats, colli dy ddillad a'r rheiny'n costio cymaint. Diofalwch plentynnaidd. Roedden ni'n disgwyl gwell na hyn gen ti . . . blah . . . blah . . . blah!

Fûm i rioed mor falch o glywed y babi'n crio.

'Dyna ti wedi'i ddeffro fo hefo dy stŵr,' medda Mam yn reit ffyrnig.

Pwy? Y fi! Ddeudais i ddim byd ond gwrando ar y storm

yn clecian o gwmpas fy nghlustiau o'r funud y des i mewn trwy'r drws.

Mi aeth Nain at y goets a dechrau ei siglo'n araf.

'A dydi'i fam o ddim yn cymryd sylw ohono fo, yn nac ydi?' meddai. 'Gadael y peth bach i grio yn fan'ma a chodi'i llais heb ddim eisio.'

'Ooo . . .' ffrwydrodd Mam yn dymherus.

A chyn i neb fedru dweud gair arall dyma hi'n cipio'r babi yn ei breichiau ac yn diflannu i fyny'r grisiau.

'Mam, ddylech chi ddim ymyrryd,' medda Dad yr un mor dymherus. Ac i ffwrdd â fo i fyny'r grisiau wrth sodlau Mam.

Mi ddisgynnodd 'na dawelwch od ar y gegin wedi iddyn nhw fynd.

'Ia . . .' medda Nain. Yna trodd am y lolfa. 'Cymra Asprin rhag ofn iti gael annwyd, Gwenno. A siawns na fydd rhywun yn meddwl am swper yn y tŷ ma cyn inni i gyd lwgu.'

Roedd y babi'n dal i grio i fyny'r grisiau. Mi ddechreuais innau osod y bwrdd er na wyddwn i ddim beth oedd yna i swper.

'Dew! Mi gest ti'r drefn,' medda Llŷr.

'O . . . anghofia fo,' meddwn i'n siort.

Dydw i ddim eisio diwrnod arall fel hwn tra bydda i byw! Diolch byth na chaiff neb o'r ysgol wybod.

Dydd Mawrth, Gorffennaf 24ain.

Dydw i byth wedi dŵad ataf fy hun, yn enwedig gan y bu'n rhaid inni ein pedwar fynd i swyddfa'r heddlu i roi cyfrif o bopeth gafodd ei ddwyn.

'A beth yn union golloch chi?' holodd y plisman ifanc tu ôl i'r cownter yn glustiau i gyd a'r beiro'n barod yn ei law.

Mi aeth fy wyneb i'n fflamgoch wrth drio dweud wrtho fo. Doedd dim modd sôn am fra a phanti fel pe buasech chi'n trafod y tywydd, yn nac oedd?

35

Ond mi ddechreuodd Siw ei mwynhau ei hun.

'Fy mhanti coch a blodyn glas arno fo a fy mra 'Cross Your Heart' seis 32b, offiser,' meddai hi'n geg i gyd a sbïo'n feddal ym myw ei lygaid.

A dyma hi'n mynd ymlaen i ddisgrifio pob cerpyn oedd ganddi amdani ddoe, a disgrifio cynnwys ei bag colur hefyd . . . y brws gwallt a'r olew haul . . . y colur llygaid a'r minlliw, a'r sent. Ac mi ddechreuodd wedyn ar gynnwys ei bag bwyd gwag . . . 'Bag plastig Boots oedd o, offiser, hefo bocs bwyd caead coch i mewn ynddo fo, a bag papur i mewn yn hwnnw, . . . un gwag, tê . . . dydw i ddim yn un am adael llanast ar y traeth, ychi, ddim a ninnau wedi cael sawl trafodaeth yn yr ysgol ar gadw Cymru'n deidi.'

Wel, mi roeddwn i'n ei hedmygu hi o'i phen i'w thraed, yn enwedig pan welais i lygaid y plisman yn dechrau llonyddu wrth iddo dderbyn y ffasiwn wledd o fanylion.

Mi ddaethon ni o'r swyddfa mewn ffitiau o chwerthin, a Siw yn trio ei chyfiawnhau ei hun am fod mor ofnadwy o gegog.

'Wel, y fo oedd eisio gwybod, tê? Fasa fo'n dda i ddim byd inni i gyd sefyll yno fel mudanod, yn na fasa? A sut 'dach chi'n disgwyl i'r plismyn druan wneud eu gwaith os nad ydi pobl yn rhoi manylion llawn . . . a chywir . . . iddyn nhw?'

Chawson ni fawr o amser gyda'n gilydd. Roedden ni i gyd wedi cael tipyn o'r drefn am fod mor flêr hefo'n pethau, ac roedd Siw a finnau wedi cael ein siarsio i beidio â loetran o gwmpas y dre rhag ofn inni golli rhywbeth arall. (Teulu'n trio bod yn wawdlyd, tê?)

Pan gyrhaeddais i adra roedd yr Ymwelydd Iechyd acw yn cael golwg ar y babi. Mae'r nyrs a'r ymwelydd yn byw a bod yn y tŷ 'ma byth ers pan ddaru Mam ddŵad â'r babi adra. Mi fuasech yn meddwl nad ydi hi'n tebol i fagu un. Os nad ydyn nhw'n sbïo ar ei lygaid a'i geg, maen nhw'n llygadu ei fotwm bol ac yn holi pethau od fel a ydi o'n pasio dŵr a baeddu'i glwt. A dydyn nhw ddim yn gorffen yn y fan honno, mae'n rhaid iddyn nhw gael ei bwyso hefyd! Dydi o ddim ar ddeiat, mi fedra i eu sicrhau nhw o hynny.

Mae Nain yn rhythu a gwneud ceg gam bob tro y gwelith hi gar y nyrs neu'r Ymwelydd Iechyd y tu allan i'r tŷ.

'Y petha ifanc 'ma'n meddwl eu bod nhw'n gwybod y cwbl,' medda hi. 'A fagodd 'run ohonyn nhw fabi rioed, dim ond dysgu pobl eraill sut 'ma gwneud.'

A thra ma'r nyrs yn sôn am hyn a hyn o ownsys i bob pwys o fabi mewn pedair awr ar hugain . . . bwyd rydw i'n ei feddwl . . . ma Nain yn gwgu ac yn siarad o dan ei gwynt.

Ew! Mi roedd y babi'n crio! Debyg ei fod o wedi cael llond bol o bobl ddieithr yn ei lygadu ac yntau'n noeth-lymun.

Dydd Iau, Gorffennaf 26ain.

Help! Mae ugeiniau o frychni haul newydd sbon wedi deor ar fy wyneb i! Maen nhw fel rhwd ar haearn hen hen.

'Yr haul ydi'r drwg,' medda Siw'n wybodus.

Wel, doedd dim angen i neb ddweud hynny wrtha i, yn nac oedd? Meddyginiaeth iddyn nhw roeddwn i ei eisio.

'Be wna i, Nain?' meddwn i'n dorcalonnus wedi sbïo arnyn nhw yn y drych am y canfed tro.

'Wel . . .' medda Nain, wrth ei bodd am fy mod i wedi gofyn.

Malu radys boeth yn fân fân a'i chymysgu'n bast hefo finegr a'i daenu ar eich wyneb, dyna oedd cyngor Nain. Mi dria i rywbeth, hyd yn oed feddyginiaethau henffasiwn Nain os ca i wared â'r brychni!

Dydd Gwener, Gorffennaf 27ain.

Mi fûm i yn nhŷ Derec Wyn heddiw. I de. Ei fam yn cael ei phen-blwydd. Wyddwn i ddim prun ai edrych ymlaen yntau arswydo roeddwn i, a finnau heb ei gweld ers cyn y lladrad. Efallai mai fy meio i y bydd hi.

Mi gyrhaeddais tua thri o'r gloch. Ac i wneud yn siŵr fy mod i'n cael croeso, ac am ei bod hithau'n cael ei phen-blwydd a minnau ddim eisio mynd yno'n waglaw, mi es i â phlanhigyn tŷ iddi. Planhigyn Aliwminiwm, neu Pilea cadierii yn ôl pobl wybodus.

Roeddwn i wedi gogrwn uwch y dewis am gryn ddeng munud. Doeddwn i ddim eisio mynd â rhywbeth bler heglog iddi hi o bawb, nac eisio mynd â dim fuasai'n blodeuo a cholli'i flodau chwaith. Ddim â hithau'n gyfog-lyd o dwt a threfnus yn y tŷ.

'A sut fath o blanhigyn rydych chi'n chwilio amdano?' holodd dynes y siop yn reit bigog wrth fy ngweld i'n hofran uwchben yr arddangosfa werdd ac yn bodio'r deil-iant.

'Wel . . . wn i ddim,' meddwn i'n gloff. (Sut medrech chi egluro am ddarpar fam-yng-nghyfraith a oedd yn or-drefnus yn ei thŷ?)

'I bwy rydych chi eisio un?' holodd y ddynes eto. 'Mam . . . Modryb . . . Nain?'

'I rywun sydd yn falch iawn o'i thŷ,' meddwn i. 'Ddim eisio llanast, tê?'

'Mae planhigion yn gweddu mewn unrhyw dŷ,' medda hi'n ffroenuchel.

Fedrwn i wneud dim ond cymryd ei gair pan estynnodd hi'r Planhigyn Aliwminiwm a dechrau ei frolio i'r cymylau.

'Reit fyr a destlus, dim blodau arno, a dail hynod o atyn-iadol,' medda hi.

'Faint ydi o?' meddwn i. (Wedi'r cwbl doeddwn i ddim am wario ffortiwn er mwyn ffalsio chwaith.)

'Punt a phum deg ceiniog,' medda hi heb aros i gymryd ei gwynt bron.

Wel, ei gymryd o ddaru mi, er nad oeddwn i wedi fy argyhoeddi o bell ffordd.

Mi gefais i groeso clên gan fam Derec Wyn pan welodd

hi'r planhigyn a'r cerdyn pen-blwydd a brynais i gan Wil Siop Magi.

'Diolch ichi am fod mor feddylgar, Gwenno,' medda hi'n wên i gyd.

Rydw i'n medru dygymod yn reit dda hefo mam Derec Wyn erbyn hyn, er fy mod i'n methu'n lân ag arfer tynnu fy sgidiau bob tro yr a i i'r tŷ. Ond gan mai ei thŷ hi ydi o, ac os mai hynny sy'n ei gwneud hithau'n hapus, does dim i'w wneud ond ufuddhau er mwyn cael bod yng nghwmpeini Derec Wyn.

'Ho! Mi wela i dy fod ti wedi dy wisgo fel pawb arall heddiw, Gwenno,' meddai'i dad yn harti.

Mi wridais i'n syth. Dew! Mi roeddwn i'n trio fy ngorau i anghofio'r digwyddiad ofnadwy.

'Llywelyn,' medda mam Derec Wyn. 'Dydw i ddim yn meddwl fod angen inni'u hatgoffa nhw o ddigwyddiad mor anffortunus. Rydw i'n mawr obeithio na chlywn ni ragor amdano. Rydw i'n arswydo wrth feddwl be fuasai'r papurau newydd 'ma'n ei wneud o'r peth.'

'O . . . dowch, Buddug,' cychwynnodd ei gŵr.

'Na, wir, Llywelyn, dydi'r plant 'ma ddim yn sylweddoli pa mor ofalus mae'n rhaid iddyn nhw fod. Petasai stori fel'na yn cyrraedd y papurau, a chithau ar y cyngor a phopeth . . .'

Dew! Mae mam Derec Wyn yn rêl snob ar brydiau.

Dydd Sadwrn, Gorffennaf 28ain.

Mi gysgais i braidd yn hwyr y bore 'ma. Y babi wedi crio a chrio trwy'r nos, a finnau'n methu â chysgu ar y landin am fod 'na gymaint o fynd a dŵad o nghwmpas i.

'Ac mi ddoist?' medda Wil Siop Magi pan ffrwydrais trwy ddrws y siop fel petaswn i'n cychwyn am China.

Wel, doeddwn i ddim ar fy ngorau wedi imi gael noson effro a phopeth.

'Os mai fi ydi fi . . . do,' meddwn i'n reit ffraeth fy nhafod.

'O . . . fel'na rwyt ti'n teimlo y bore 'ma, ia?' medda fo'n wendeg. 'Wedi bod yn effro'n meddwl am y cariad 'na sy gen ti, debyg?'

A dyma fo'n pwyso yn fy erbyn yn smalio ddamweiniol wrth imi fynd heibio i gadw fy siaced.

'Esgusodwch fi,' meddwn i'n finiog. 'Ma rhai pobl yn cymryd mwy na'u lle tu ôl i'r cownter 'ma.'

Rydw i wedi cael llond bol ar Wil Siop Magi. Tybed a ddylwn i sôn amdano fo a'i driciau wrth Dad? Ond y fi oedd ar dân eisio dŵad yma i weithio, yntê?

Dew! Dydi bywyd yn ddim ond poen ble bynnag yr edrychwch chi. Babis yn crio, neiniau'n hawlio llofftydd genethod pedair ar ddeg oed, brodyr bach yn mynd tros ben llestri . . . a hen ddynion fel Wil Siop Magi yn anodd i'w trin!

Dydd Sul, Gorffennaf 29ain.

Mae Dad a'i ben yn ei blu am fod y babi'n niwsans, mae Nain yn mynd o gwmpas hefo wyneb 'does dim yn iawn', mae Llŷr yn ddiafol bach mewn croen ac ae pawb yn disgwyl i mi ei dawelu . . . ac mae *nerfau Mam yn rhacs*!

Rydw i am adael cartre.

Dydd Llun, Gorffennaf 30ain.
Run fath!

Dydd Mawrth, Gorffennaf 31ain.
Run fath . . . ond gwaeth!

Dydd Mercher, Awst 1af.
Mi ffoniodd Derec Wyn heno i'm gwadd i ddisgo dan ddeunaw yn yr Imperial nos Sadwrn.

'Grêt!' meddwn i. 'Faint mae o'n 'i gostio?'

'Hidia befo,' medda fo. 'Mi dala i. Rydw i wedi cael gwaith tros y gwyliau. Dechrau bore Llun.'

'Ew! Ymhle?' meddwn i'n eiddigus i gyd. (Beth petasai fo yng nghanol genethod?)

'Tesco.'

'Trwy'r dydd?'

'Ia, hefo diwrnod yr wythnos i ffwrdd.'

'O!' meddwn i mewn llais bach bach.

Roeddwn i'n teimlo fel petaswn i wedi colli ffortiwn! Mi fyddai'n gweithio bron bob Sadwrn felly, a beth wnawn i pan fyddai Siw hefo Prysor? Fedra i ddim *diodda* bod yn gwsberan!

Dydd Iau, Awst 2ail.

'Dos â Rhodri am dro i edrych wnaiff o gysgu tipyn,' medda Mam y pnawn 'ma.

Mi fu bron imi â llewygu yn y fan a'r lle.

'Pwy? Y fi?' meddwn i'n anghrediniol.

'Pwy arall?' medda Mam yn reit swta.

'Ond . . .' meddwn i'n llipa.

'Ond, be?'

Mi lyncais fy mhoer a dechrau hel esgusion.

'Roeddwn i am dwtio fy nrôrs y pnawn 'ma, ac am olchi fy socs a . . .'

'Mi gei wneud wedi iti ddŵad yn ôl,' medda Mam a thinc dim nonsens yn ei llais.

Wel, roeddwn i wedi pwdu o ddifri. Fedrwn i ddim diodda powlio coets ar hyd y stryd. A beth petaswn i'n gweld rhywun roeddwn i'n ei adnabod? Ond mynd fu'n rhaid imi.

Mi benderfynais fynd i'r parc gan dybio na fyddai 'na neb arbennig mewn lle felly.

'Hiya!' gwaeddodd rhywun cyn gynted ag y gwthiais i'r goets trwy'r giât.

41

Gwen! Mi ystyriais droi'n llwfrgi a'i heglu hi'n ôl trwy'r giât. Mi fuasai'n well gen i weld dosbarthiadau tri, pedwar a phump hefo'i gilydd na'i gweld hi. Y sguthan fusneslyd!

'Gwenno!' medda hi wedi cyrraedd at y goets ar duth. 'Yn powlio coets!'

Fel petasai hynny'n rhyfeddod mawr.

'Dyna be ma'n nhw'n ei wneud hefo babis,' meddwn i'n reit fawreddog. 'Mynd â nhw am dro, tê?'

Ddaru mi ddim stopio, dim ond powlio 'mlaen.

'Aros imi gael golwg arno fo,' medda hi.

'Dydi wiw imi,' meddwn i. 'Rhag ofn iddo fo gael annwyd.'

'Ond mae hi'n haul braf.' Roedd ei llygaid fel soseri.

'Yr amser gwaetha iddyn nhw,' meddwn innau. 'Mae pawb yn gwybod hynny.'

Edrych yn reit ddrwgdybus ddaru hi, ond doedd ganddi ddim digon o brofiad i ddadlau'r pwynt.

'Mi gei fwy o amser i fynd â fo am dro wedi i Derec Wyn ddechrau gweithio,' medda hi'n sydyn.

Mi roes fy nghalon dro. Sut y gwyddai hi o bawb? Roeddwn i ar dân eisio gwybod, ond doeddwn i ddim am ddangos hynny chwaith. Ddim petasai rhywun yn *talu* imi. Mi bowliais ymlaen fel petaswn i'n malio dim.

'Derec Wyn yn dweud wrthyn ni i gyd neithiwr. Yn y Clwb Nofio, tê? Wrth gwrs, doeddet ti ddim yna, yn nac oeddet? Mi gafon ni hwyl!'

'O . . . mi roeddwn i'n gwybod o flaen pawb,' meddwn i a'm tu mewn yn berwi.

Pam na ddywedodd Derec Wyn ei fod o wedi bod yn nofio? Tan din ydi peth fel'na.

'Mi gawson ni sudd oren a chreision yn y caffi wedyn,' medda hi a sbïo trwy gil ei llygaid arna i.

Wel, mi gaiff rythu faint a fynnith hi, meddyliais wrthyf fy hun, dydw i ddim am ddangos y briw ar fy nghalon.

'Rhaid imi fynd â fo'n ôl rŵan,' meddwn i. 'Amser bwyd.'

'O . . .' medda hi'n anfodlon. 'Be wyt ti'n ei wneud wedyn, ta? Mi ddo i hefo ti, os lici di.'

Dim ffeiars! Dydi hi na'i thrwyn busneslyd ddim am gael dŵad yn *agos* i'n tŷ ni.

'Helpu Mam,' meddwn i heb flewyn ar fy nhafod. 'Disgwyl pobl ddiarth.'

'Biti. Sgin i ddim byd i'w wneud â Gwawr i ffwrdd. Mae hi'n aros hefo'i modryb a'i hewythr yn Aber.'

'A-ber?'

Mi oeroedd fy nghorff trosto. O na! Plîs! Dim yn y byngalo hwnnw! Fedr bywyd ddim bod mor greulon â hynny! Mi ddaw pawb i wybod, a fedra i byth wynebu neb eto.

'Ia, reit i lawr ar y traeth bron. Lwcus, tê?'

'Ia.'

Ond doedd fy nghalon i ddim yn y sgwrs . . . dim o bell ffordd. Mi gyrhaeddais adref wedi cael ergyd drom . . . *dwy* ergyd drom!

Dydd Gwener, Awst 3ydd.

Mi gafodd Llŷr godwm oddi ar ei feic heddiw. Chwarae 'wheelies' hefo Garmon dros ffordd roedd o. Ac, wrth gwrs, mi fu'n rhy glyfar wrth geisio gwneud yn well na Garmon. Mi ddaeth i'r tŷ gan floeddio crio a'r gwaed yn llifo'n afonydd o'i ddwy ben-glin.

'Sssh! Sssh!' medda Mam. 'Paid â deffro Rhodri.'

Mi ddechreuodd Llŷr weiddi'n waeth fyth wedyn. Welwn i ddim bai arno fo chwaith. Mi fuasech yn tybio mai cael y babi i gysgu ydi'r peth pwysicaf yn y tŷ 'ma.

'M-ma fo'n b-brif-o,' cwynodd Llŷr a bloeddio cyn gymaint ag a fedrai wedyn.

'Twt,' medda Mam. 'Dydi o ddim byd ond 'chydig o sgriffiadau. Paid â gwneud y ffasiwn ffws.'

A dyma'r babi'n dechrau crio!

Mi edrychodd Mam fel petasai hi wedi cyrraedd pen ei thennyn am eiliad. Dyma hi'n rhwbio'i llaw tros ei hwyneb ac yn cau ei llygaid, ac mi welwn ei gwefusau'n symud wrth iddi gyfri i dri!

'Dos at Rhodri, Gwenno, a cheisia ei dawelu am eiliad. Jest tra bydda i'n golchi'r briwiau 'ma.'

Mi es i ato'n ddigon pwdlyd. Wn i ddim pam mae angen rhedeg cyn iddo fo agor ei geg i grio bron. Mae o wedi hen arfer â'i sŵn ei hun bellach ac wedi byddaru pawb yn y tŷ 'ma hefyd.

Ond mi roedd Nain yno o fy mlaen ac wedi'i godi ar ei glin.

'Ew, Nain, dydach chi ddim i fod i'w godi fo,' meddwn i.

'Codi dy Dad ddaru mi rioed,' medda Nain. 'A chyn belled ag y gwela i, chafodd o fawr o niwed.'

Roedd hi am ymhelaethu ar y pwnc, ond daeth Mam i mewn. Mi welodd y babi ar lin Nain ac mi ffrwydrodd yn syth.

'Dyna chi wedi'i ddrysu fo rŵan,' medda hi'n fflamgoch ulw a'i gipio o ddwylo Nain.

'Ia, wel . . .' medda Nain. 'Dydi rhai pobl ddim yn gwybod sut ma magu plant. Gadael i'r pethau bach grio a chrio nes maen nhw'n taflu i fyny ac yn methu â chysgu.'

'Dyna gyngor yr Ymwelydd Iechyd,' medda Mam. 'Gofalu nad oes gwynt yn ei boeni a'i fod o'n sych a sefydlu patrwm cysgu iddo fo.'

Patrwm cysgu? Patrwm crio oedd gan ein babi ni!

'A be mae honno'n ei wybod?' holodd Nain yn felys. 'Welis i ddim modrwy briodas ar ei bys na chlywed sôn ei bod hi'n fam chwaith.'

'Dyna ydi'i gwaith hi,' medda Mam yn siort. 'Wedi bod am flynyddoedd o hyfforddiant.'

'Profiad llyfr a babis pobl eraill,' wfftiodd Nain yn ddygn. 'Rhyw gywan fach fel'na'n trio dysgu'i gwell.'

Wel, mi welais ei bod hi am fynd yn fellt a tharanau uwchben y babi, felly mi wnes fy ngorau i arbed y storm.

'Ydi Llŷr yn iawn?' meddwn i gan drio atgoffa Mam o'i dyletswydd.

'Yy! B-be?' gofynnodd gan ddal i sbïo'n gas ar Nain.

'Llŷr,' meddwn i eto. 'Ydi o'n well rŵan?'

'O . . . ydi,' medda Mam. 'Dos i weld, wnei di?'

Siwgr gwyn! meddyliais yn ddiflas. Oes 'na neb ond Gwenno'r sgifi fach i redeg o gwmpas y tŷ 'ma?

'Wyt ti'n iawn?' holais wedi cyrraedd y gegin.

Sniffian yn reit ddigalon ddaru Llŷr, ond pan gynigiais i baced o greision iddo fo mi ddaeth ato'i hun yn syth.

'Rhai blas caws?' gofynnodd.

Mi agorodd y paced rywsut rywsut.

'Yli'r plasteri 'ma sy gen i. Ar y ddwy ben-glin!'

'Ia, tê?' meddwn innau heb fawr o ddiddordeb.

'Ia, ond sbïa, Gwenno. Maen nhw'n dal i waedu.'

A dyma fo'n dechrau'u tynnu i ddangos y briwiau.

'Gad nhw yna'r ffŵl,' meddwn i. 'Dydi Mam ddim ond newydd eu rhoi nhw iti.'

Sniffian ddaru fo wedyn a sbïo braidd yn dorcalonnus arna i.

'Wyt ti'n licio'r babi, Gwenno?'

'Ydw, siŵr,' meddwn i'n gelwyddog.

'Wel, dydw i ddim,' yn bendant.

Roeddwn i'n cyd-weld hefo fo gant y cant, ond cau fy ngheg ddaru mi.

'Mi fydd o'n well wedi iddo fo dyfu i fyny, ysti,' meddwn i.

Ond roedd Llŷr wedi colli diddordeb yn y babi ac wedi cofio am baced Polo Nain.

'Nain!' gwaeddodd gan gychwyn am y lolfa. 'Ylwch fy mhen-gliniau i.'

A dyna chi storm arall! Y babi'n ailddechrau crio, Mam yn dwrdio a Nain yn dadlau . . . a Gwenno Jones yn eistedd a'i dwylo dros ei chlustiau yn y gegin.

Dydd Sadwrn, Awst 4ydd.

Roeddwn i wedi anghofio sôn am y disgo wrthyn nhw.

'Mynd i ddisgo'r Imperial heno,' meddwn i amser brecwast. 'Hefo Derec Wyn.'

Roeddwn i'n amau mai storm fyddai hi wedi imi dorri'r newydd. Dim yn gofyn . . . pedair ar ddeg wyt ti . . . yn meddwl am ddim ond jolihoitian . . . digon o dy angen di gartre . . . plant yr oes yma'n anniolchgar . . . rhy ifanc i gael cariad . . . sbïwch helynt Aber 'na a gobeithio na chaiff neb wybod . . . taflu dy arian i ffwrdd . . .

'Mae Derec Wyn yn talu,' meddwn i. 'Disgo dan ddeunaw ydi o. Pawb yn mynd.'

Mi lyncais y llymaid olaf o goffi a chychwyn am y lobi.

'Rydw i wedi gaddo,' meddwn i.

'Chwarae teg i'r hogan,' medda Nain. 'Dydi hi'n cael fawr o fywyd iddi'i hun.'

(Mi fuaswn i'n licio meddwl mai ochri hefo mi ac nid gwrthwynebu Mam mae hi, ond rydw i'n amau'n gry!)

Mi ddisgynnodd tawelwch stormus ar y bwrdd brecwast. Roedd Mam yn edrych fel bwbach ar Nain, a Dad yn trio cuddio tu ôl i'w bapur rhag ofn i Mam ddisgwyl iddo fo ddweud dim.

'Mynd rŵan!' galwais.

Roedd Wil Siop Magi'n sefyll tu ôl i'r cownter pan gyrhaeddais.

'Rwyt tithau'n cymryd dy amser hefyd,' grwgnachodd. 'Cael tâl am oriau llawn, nid eu hanner nhw rwyt ti.'

Doeddwn i ddim ond pum munud yn hwyr. Y surbwch iddo fo!

'Mi weithia i drosodd, ta,' meddwn i gan sleifio'n sgut heibio'i gefn rhag ofn iddo fo ddechrau cael syniadau.

46

'Iawn.' Mi siriolodd trwyddo. 'Mae hi'n mynd yn unig iawn yn y siop 'ma.'

Ond mi gafodd yr hen gono weld, on'd do? Mi weithiais i union bum munud trosodd amser cinio rhag iddo edliw, a chwerthin ynof fy hun wedyn wrth weld yr olwg siomedig ar ei wyneb pan ddeudais fy mod yn mynd.

'A finna wedi meddwl y buasen ni'n cael cinio bach yn y cefn hefo'n gilydd,' medda fo.

'Dim diolch,' meddwn i'n syth. 'Nain yn disgwyl. Mi ddaw i fy nôl os bydda i'n hwyr.'

'O . . . dy Nain,' medda fo'n gloff.

'Ia, Nain. Mae hi'n holi'n ofnadwy am fy ngwaith i bob dydd Sadwrn, ac am ddŵad yma i'ch gweld chi rywdro, medda hi.'

Gwenu fel petasai fo wedi llyncu lemwn sur ddaru fo. Gobeithio 'i fod o'n cofio imi'i fygwth o hefo Nain o'r blaen, ac imi ddweud dynes mor beryglus ac anodd i'w thrin ydi hi, a dweud wrtho fo be mae hi'n galw dynion fel y fo hefyd. Loblaris! Nid fy mod i wedi achwyn wrth Nain amdano . . . nac wrth neb arall chwaith, ond dydi o ddim yn gwybod hynny.

Mi frysiais adre ar duth gwyllt. Doedd gen i ddim ond hanner awr cyn dal y bws i'r dre.

'Does bosib dy fod ti eisio mynd i'r dre hefyd,' medda Mam. 'A dallta di, does 'na ddim cyrraedd adre berfeddion nos i fod chwaith, yn nac oes, Myrddin? Rydw i'n dweud wrthyt ti rŵan.'

'Mmmm?' Roedd Dad a'i drwyn ynghlwm wrth y teledu yn y lolfa.

'Myrddin! Dydi'r hogan 'ma ddim i fod yn hwyr, yn nac ydi?'

Rhochian rhywbeth tebyg i 'nac ydi' o dan ei wynt ddaru Dad, a hynny heb dynnu'i sylw oddi ar y sgrîn.

'Mae tad Prysor yn dŵad â ni adra. Ac mae'r disgo'n gorffen hanner awr wedi deg,' meddwn i.

47

Gwneud wyneb anfodlon ddaru Mam a rhyw hanner troi i gyfeiriad Dad eilwaith, ond doedd gen i ddim amser i ddadlau. Dim â finnau eisio rhedeg am y bws.

'Sgert ta jîns wyt ti am 'i wisgo heno?' meddwn i wrth Siw gan ddisgyn i'r sedd wrth ei hochr.

Wel, mi fuon ni'n pwyso a mesur pob dilledyn yn wardrob y naill a'r llall nes cyrraedd y dre, ac mi anghofiais i bopeth am Gwen a'i stori nes roedden ni'n cyrraedd yr arhosfan.

'Nefi! Rydw i wedi anghofio dweud wrthyt ti,' meddwn i ac ymaflyd ym mraich Siw.

'Dweud be?' gofynnodd honno'n reit ddidaro gan gamu oddi ar y bws.

'Be oedd Gwen yn 'i ddweud . . . am fodryb ac ewythr Gwawr.'

'Be amdanyn nhw?'

'Mae Gwawr yn aros hefo nhw.'

'Syfrdanol!' medda Siw. 'Ydi ots?'

'Wel, ydi siŵr, yr het! Y bobl rheiny yn y byngalo ydyn nhw. *Yn Aber*!'

'Rioed?'

Roedd Siw yn ddelw geg agored.

'Ffaith iti. Wel, bron yn ffaith. Rhywle ar y ffordd i draeth Aber ddeudodd Gwen. A *doedd* na unlle arall, yn nac oedd?'

'*Whiw*! A mae Gwawr fel papur bro o gegog. Mi fyddwn ni'n enwog o'r diwedd,' cyhoeddodd Siw gan chwifio'i breichiau fel sbôcs ymbarél.

'Hwyrach y bydd ein hanes ni ar y teledu, neu yn y News of the World . . . ac mi fydd pawb yn yr ysgol eisio'n llofnod ni!'

'Chwarae teg! Paid â gwamalu,' meddwn i'n reit siort. (Roeddwn i'n meddwl am fam Derec Wyn, a'r ffaith fod ei dad ar y cyngor a phopeth. Dew! Mi fyddai fy enw i'n sothach yn eu tŷ nhw.)

'Duw, pam croesi môr Iwerydd a dim ond afon o dy flaen di?' meddai Siw yn galonnog.

Wel, mi fedrwn i weld nad oedd hi'n cymryd y peth o ddifrif, na Prysor a Derec Wyn chwaith pan ddeudais i wrthyn nhw.

'Twt, mae 'na lot o bobl yn byw yn Aber,' medda Prysor. 'Ac efallai fod 'na dai eraill yn ymyl y traeth, ond ein bod ni heb eu gweld nhw.'

Wn i ddim sut y gallai Prysor ddweud fod yna lot o bobl yn byw mewn prin ddwsin o dai ac un siop gwerthu popeth chwaith. Ond mi geisiais fy modloni fy hun ac ymuno yn y trefniadau erbyn y gyda'r nos.

Roedd y miwsig i'w glywed yn taranu fel y cyrhaeddon ni'r drws. Ac roedd hi'n grêt tu mewn . . . yn soffistigedig dywyll hefo byrddau du â chrôm sglein ar eu hymylon, a seddau melfed du i gyfateb o'u cwmpas.

'Ble 'steddwch chi?' gofynnodd Prysor gan lygadu'r llawr dawnsio oddi tanodd. 'Yn fa'ma ta wrth y byrddau gwaelod 'na?'

'Lawr,' medda Siw. 'Llai o ffordd i godi i ddawnsio. Be wyt ti'n 'i feddwl, Gwenno?'

'Iawn,' meddwn i.

A dweud y gwir, doedd fawr o ots gen i. Roeddwn i'n gwybod fy mod i am fwynhau'r noson. Be arall fedrwn i ei wneud a Derec Wyn wrth fy ochr i, tê?

'Ma'r lle 'ma'n grêt,' medda Siw wedi inni eistedd.

Roedd 'na ddwy sgrîn fawr un bob ochr i'r ystafell a'r rheiny'n dangos fideo o'r miwsig a oedd yn chwarae ar y pryd. Roedd Siw a minnau'n dyheu am gael dawnsio, ond doedd y goleuadau symudol ddim wedi'u goleuo eto, heblaw nad oedd na fawr neb o'n cydnabod wedi cyrraedd.

'Lwcus ein bod ni yma'n fuan i gael lle da i eistedd,' medda Siw. Yna dyma hi'n chwifio ei llaw yn egnïol i gyfeiriad y drws. 'Gwen a Gwawr, yli. Newydd ddŵad i mewn.'

Wel, fflamiau poeth! Mi aeth ias i fyny fy nghefn ac fe roes fy nghalon dro sydyn rhyfedd. Doeddwn i ddim eisio gweld *run* o'r ddwy . . . yn enwedig Gwen.

Ond prysuro aton ni ddaru nhw a'u gosod eu hunain ar gadeiriau yn ymyl. Roeddwn i wedi pwdu'n gorn ynof fy hun, ond mi geisiais ymddangos yn berffaith ddigyffro.

'Hylo!' medda Derec Wyn pan welodd o'r ddwy. 'Roeddwn i'n meddwl dy fod ti ar dy wyliau, Gwawr.'

Mi ddisgynnodd fy ngên at fodiau 'nhraed i. Pam roedd eisio iddo fo sôn dim? Cau ceg a chroesi bysedd, dyna oedd eisio'i wneud.

'Doeddwn i ddim am golli'r disgo,' medda Gwawr. 'Mynd yn f'ôl fory. Eisio mwy o liw haul, tê? Mae traeth Aber yn grêt. Dach chi wedi bod yno leni?'

Ddaru run ohonom ni sbïo ar ein gilydd. Ond mi wenodd Siw yn braf.

'O . . . do,' medda hi. 'Mwynhau pob munud ohono fo hefyd. On'd do, Prysor?' A dyma hi'n rhoi winc ddrygionus.

Mi fuaswn i'n medru ei llabyddio yn y fan a'r lle.

'Fuost ti a Derec Wyn hefyd, Gwenno?' gofynnodd Gwawr.

Mi ymledodd poethder fel afon dros fy nghorff.

'Y . . . do,' mwngialais yn gloff a'm hwyneb yn fflamgoch sydyn.

Diolch byth mai golau gwan oedd yn yr Imperial neu mi fuasai Gwen a Gwawr wedi amau rhywbeth yn syth!

'O . . .' medda Gwen. 'Fydd gen ti ddim amser i fynd i lan y môr eto, yn na fydd, Derec Wyn? Dechrau gweithio. Dyna be ddeudaist ti yn y Clwb Nofio, tê?'

A dyma hi'n ciledrych yn slei arna i.

Wel, doeddwn i ddim wedi anghofio'r ffaith na soniodd Derec Wyn air am y Clwb Nofio, ond roeddwn i wedi ceisio fy argyhoeddi fy hun nad oedd llawer o ots gen i. Mae pawb yn anghofio pethau dibwys weithiau. Felly gwenu rhwng fy nannedd wnes i a cheisio anwybyddu'r eiddigedd a bigai fel randros o'm mewn.

'Mi gawson ni hwyl, on'd do?' medda Gwen eto. 'Yn y caffi wedyn. Wrth gwrs, doeddet ti ddim yno, yn nac oeddet, Gwenno?' sylwodd yn felys.

Mi ddechreuodd fy nhymer godi'n eirias.

'Nac oeddwn,' meddwn yn siort.

'Biti,' medda hi a giglan yn wirion gyfrinachol i gyfeiriad Derec Wyn.

Sguthan! Bitsh ddauwynebog!

Mi welodd Siw fy mod i bron â ffrwydro.

'O! . . . ma Derec Wyn a Gwenno'n dallt ei gilydd,' meddai. 'Maen nhw'n gariadon, yn tydyn?'

Symud ei draed yn anniddig ddaru Derec Wyn.

'Ma rhai o'r hogiau wedi cyrraedd,' meddai. 'Mi wela i di yn y munud. Wyt ti am ddŵad, Prysor?'

Ac i ffwrdd â nhw fel petasai haid o gŵn hela wrth eu sodlau nhw. A hefo criw y bechgyn yr arhoson nhw am y rhan fwyaf o'r noson.

'Wel,' medda Siw. 'Tyrd i ddawnsio, Gwenno, os mai fel'na maen nhw'n teimlo.'

Roedd y goleuadau'n fflachio'n lliwgar a'r llawr yn llenwi gyda dawnswyr; roedd criwiau o fechgyn yn chwibanu a gweiddi a gwneud sylwadau am y genethod, a'r 'bownsers' yn eu siwtiau duon a'u 'bo-teis' yn eu llygadu'n fygythiol; roedd curiad y miwsig yn uchel uchel a Siw a minnau'n dawnsio a gogwyddo a symud fel petasen ni'n ddawnswyr gorau Cymru; roedden ni'n mynychu'r bar ac yn yfed Coke a Pepsi a bwyta creision ac yn mynd yn ôl i ddawnsio drachefn a thrachefn. Fe gyflymai curiad y miwsig o gân i gân nes roedden ni'n lympiau chwyslyd ar ganol y llawr.

Yna roedd Derec Wyn o fy mlaen i a minnau'n gwenu a gwenu arno yn y tywyllwch lliwgar. Roedden ni'n gogwyddo fel ein gilydd, yn cyfateb yn berffaith . . . ac

51

roedd wyneb surbwch Gwen yn arnofio rywle heibio i gil fy llygaid.

'Y ddawns olaf!' gwaeddodd dyn y meic.

Fe symudodd Derec Wyn a minnau i freichiau'n gilydd fel y gwywodd y goleuadau'n feddal dyner a daeth nodau cân ramantus araf i ddiweddu'r noson. Mi anghofiais i bopeth am Glwb Nofio a chaffi a Gwen. Roeddwn i ym mreichiau Derec Wyn ac roedden ni'n symud fel un yn araf araf o gwmpas y llawr.

'Grêt, tê?' medda Siw fel y gafaelon ni yn ein cotiau ar ddiwedd y noson. 'Yli, aros imi fynd i'r lle chwech.'

'Iawn,' meddwn i a throi i chwilio am Derec Wyn.

'Hei, Gwenno!' Daeth galwad o'r tu ôl imi. Llais Gwawr!

'Beth am ddŵad i Aber yr wythnos nesa?' medda hi. 'Fydd dim ots gan Modryb ac Ewythr. Y chdi a Siw a Gwen. Ddoi di?'

'Ella. Wn i ddim. Helpu Mam,' meddwn i a'r geiriau'n baglu'n llifeiriant oddi ar fy nhafod. 'Dweud wrthyt ti eto. Tad Prysor yn disgwyl.'

A dyma fi'n troi a rhedeg bron am y drws.

'Mi ffonia i di,' gwaeddodd Gwawr. 'Dydd Llun. Mi gawn ni drefnu pa ddiwrnod.'

Fedrwn i ddim dweud gair wrthyn nhw yn y car â thad Prysor yn y sedd flaen. Mi ffonia i Siw y peth cyntaf bore fory, ond rŵan rydw i'n gorwedd ar wely'r landin mor effro â cheiliog ben bore ac yn cnoi fy ewinedd i'r byw wrth feddwl am Gwawr ac Aber. Be wna i?

Dydd Sul, Awst 5ed.

Rydw i fel cadach llestri wedi noson drybeilig o ofnadwy! Doeddwn i ddim mewn cyflwr i gysgu wedi imi fynd i fy ngwely neithiwr. Roeddwn i ar dân eisio cael gair hefo Siw . . . ac yn poeni nes roeddwn i'n delpyn nerfus am wahoddiad Gwawr. Mi *farwa* i os caiff pawb yn yr ysgol wybod stori'r lladrad!

Mi benderfynodd y babi grio bob chwarter awr drwy'r nos, ac erbyn imi wylio Mam yn crwydro'n ôl ac ymlaen hefo diod potel iddo fo a gwrando ar Dad yn grwgnach nad oedd noson o gysgu i'w gael yn y lle 'ma wedyn, (Y nhw benderfynodd gael y babi, tê? Wel, am wn i, os nad cam-gymeriad oedd o!) . . . mi roeddwn i'n rhacs mân! A dydw i fawr gwell wedi imi godi.

'Rydw i eisio ffonio Siw,' meddwn i cyn gorffen fy mrecwast bron.

Mi ffrwydrodd Dad yn syth.

'Dwyt ti ddim i gyffwrdd yno fo yr *wsnos* 'ma, wyt ti'n dallt? Ma'r biliau ffôn 'ma allan o bob rheswm. Oriau di-ben-draw arno fo heb feddwl dim mai . . .'

'Ond, Dad . . .'

'Na, rydw i wedi dweud. Mi welaist Siw neithiwr, a does reswm yn y byd iti ei ffonio eto'r bora 'ma. A dos i helpu dipyn ar dy fam hefyd. Dydi hi wedi cael fawr ddim o gwsg eto neithiwr.'

Wel, pwy gafodd, mi feddyliais yn bigog. Chefais *i* ddim. Os oeddwn i'n cysgu hanner eiliad, mi roeddwn i'n syrthio i hunllef ofnadwy am draeth Aber . . . a'r lladrad . . . a gwahoddiad Gwawr . . . a wynebau pawb yn yr ysgol wedi iddyn nhw gael gwybod, nes roeddwn i'n sboncio'n effro yn chwys domen. Ac os oeddwn i'n effro, roeddwn i'n gorfod gwrando ar y babi'n bloeddio nes roeddwn i'n lloerig.

Mi olchais y llestri yn styfnig a phwdlyd . . . ac yn wen-fflam ffyrnig tu mewn.

'Sycha'r mygiau 'na,' meddwn i wrth Llŷr yn bigog.

'Y fi? Pam y fi! Ddeudodd Dad ddim,' medda hwnnw'n gwynfanllyd.

'Yli,' meddwn i'n ffyrnig. 'Os ydw i'n gorfod gwneud, mi rwyt tithau. Gafael yn y lliain 'na a dechrau arni.'

Rydw i'n danboeth bendant na chaiff run dyn esgeul-uso'i ddyletswyddau yn fy nhŷ i pan ga i un. Rhannu'r gwaith . . . a rhannu'n deg ydi hi i fod. Caru Derec Wyn neu beidio.

Mi ollyngodd Llŷr fyg nes roedd o'n deilchion.

'Be di'r sŵn 'ma?' rhuodd Dad gan ruthro i mewn a'i wyneb yn ddu gan dymer.

'Ar Gwenno ma'r bai. Fy ngorfodi i sychu'r llestri. Ei gwaith hi ydi o,' medda Llŷr gan sniffian crio.

Roeddwn i'n barod i ffrwydro, waeth be fyddai'r canlyn-iadau. Os oedd Dad yn disgwyl i mi slafio tra oedd Llŷr yn chwarae, wel, roedd o'n gwneud camgymeriad mawr! Ond mi gefais sioc!

'Stopia'r sŵn babïaidd 'na,' gorchmynnodd Dad yn flin. 'A helpa Gwenno.'

A dyma fo'n troi ar ei sawdl yr un mor bigog.

Fedrwn i ddim peidio â gwenu a theimlo'n falch ynof fy hun. Roedd yn hen bryd i rywun helpu heblaw y fi yn y tŷ 'ma.

'Dos i nôl hambwrdd Nain,' meddwn i wedi gwirioni'n lân hefo fy muddugoliaeth.

Sniffian ddaru Llŷr, ond mi aeth yn ddigon ufudd.

'Nain yn gofyn be oedd y twrw,' meddai wedi cyrraedd yn ei ôl.

'Be ddeudaist ti wrthi hi?' gofynnais.

'Chdi'n fy ngorfodi i sychu'r llestri, fi yn torri myg a Dad yn gweiddi, tê?' medda Llŷr.

Wel, fedrwn i yn fy myw beidio â gwenu arno fo, er ei fod o'n ddiafol bach mewn croen ac yn medru bod yn benstiff drybeilig pan licith o hefyd. Mae'n well gen i Llŷr na'r babi beth bynnag.

Mi ddaeth Dad yn ei ôl i'r gegin.

'Ma dy fam wedi mynd yn ôl i'w gwely,' meddai. 'Cur yn ei phen. Rho fath i Rhodri a photel iddo wedyn, wnei di?'

'*Y fi*?' Roedd fy llais wedi codi'n sgrech. 'Fedra i ddim.'

'Wel, mae'n amser iti ddechrau, yn tydi?' medda Dad yn berffaith ddideimlad. 'Mi fydd gen ti blant dy hun ryw ddiwrnod.'

Byth dragwyddol, addewis i mi fy hun.

'Beth am Nain?' meddwn i yn barod i ymaflyd mewn unrhyw obaith.

Mi edrychodd Dad braidd yn annifyr.

'Y . . . y . . . dy Nain ddim am godi am dipyn,' meddai'n gloff.

Wel, roeddwn i'n tybio y buasai Nain yn neidio at y cyfle, petasai ond i ddangos sut roedd gwneud pethau'n iawn.

'Dydw i ddim wedi gorffen golchi'r llestri eto,' meddwn i yn union fel y deffrodd y babi yn y llofft. 'A ma'r cinio a phopeth.'

Doedd 'na neb ond y fi i wneud, yn nac oedd, os oedd Mam am aros yn ei gwely?

Mi grychodd wyneb Dad yn union fel pe buasai mewn poen ofnadwy pan glywodd o floedd gyntaf y babi.

'Gorffen di'r llestri, Llŷr,' meddai'n ffwrbwt. 'Ma gen i waith i'w wneud. Yn yr ardd.'

Wel, dyna ail sioc y dydd! *Dad* am weithio yn yr ardd. Dew, mi allasech fod ar goll am bythefnos yng nghanol y drysni ond ichi fentro crwydro oddi ar y llwybr.

'Ma fo'n crio, Gwenno,' medda Llŷr wedi i Dad fynd allan. 'Wyt ti ddim am fynd ato fo?'

'Mynd felltith,' meddwn i'n hallt. 'Daria babis . . . swn-llyd . . . afiach . . . trafferthus . . . hyll . . . drewllyd . . .'

Fedrwn i ddim meddwl am ragor o ansoddeiriau i fynegi fy nheimladau.

'Dwyt ti ddim yn ei licio fo chwaith,' medda Llŷr.

Mi frathais fy nhafod cyn imi ailddechrau grwgnach.

'Y . . . wel . . . ydw,' meddwn i'n gloff. 'Ddim eisio rhoi bath iddo fo rydw i.'

Ond hanner gwenu ddaru Llŷr.

'Roedd hi'n well yma hebddo fo, doedd?'

'O . . . Llŷr,' meddwn i a thynnu'r cudyn a fynnai sefyll yn syth bin ar ei gorun. 'Nac oedd, siŵr.'

'Mae o'n bechod i ddweud celwydd,' meddai. (Un da i ddweud.)

Roedd y babi'n gweiddi o ddifri erbyn hyn. Mi redais i fyny'r grisiau ac i lofft Nain.

'Nain, wnewch chi roi bath i'r babi?' meddwn i. 'Mam hefo cur yn ei phen.'

'Dydw i ddim am ymyrryd,' medda Nain yn hunan-gyfiawnhaol. 'Mae fy ffordd i o wneud pethau'n rhy hen-ffasiwn ac yn debyg o wneud drwg i'r babi.'

'Ond fedra *i* ddim gwneud,' llefais. 'Dydw i ddim yn gwybod sut.'

'Wel, mae'n well iti'i godi fo neu mi fydd wedi colli hynny o wynt sydd ganddo fo,' medda Nain.

A dyma hi'n troi ar ei hochr ac yn cau'i llygaid yn braf.

Fûm i rioed mor agos i golli limpin. Roeddwn i wedi gofalu nad awn i'n rhy agos at y seremoni 'molchi'r babi hyd yn hyn. Eisio dangos nad oedd gen i fawr i'w ddweud wrtho fo, tê? A doeddwn i ddim wedi paratoi potel iddo rioed chwaith. Roeddwn i wedi penderfynu peidio, waeth pwy fuasai'n gofyn imi. A phan fydda i wedi penderfynu, mae eisio deddf Llywodraeth Prydain i newid fy meddwl i.

Mi es trwodd i lofft Dad a Mam. Roedd Mam yn gorwedd yn y gwely a'i llygaid ynghau.

'Fedra i ddim codi mhen,' medda hi pan glywodd hi sŵn fy nhraed. 'Migren. Meddwi'n lân wrth roi fy nhroed ar lawr.'

Brathu nhafod ddaru mi pan welais i ei hwyneb gwelw. Dew! Roedd hi'n edrych fel petasai hi'n taflu i fyny ers pythefnos.

'Cofia roi dy benelin yn y dŵr rhag ofn iddo fo fod yn rhy boeth,' meddai. 'A mae 'na botel yn barod yn yr oergell.'

Fedrwn i ddim oedi rhagor . . . roedd yn rhaid bwrw iddi. Mi blygais uwch y cot a symud y flanced. Ych! Roedd yr arogl pi-pi yn ddigon i'ch taro i lawr . . . ac arogl rhywbeth gwaeth hefyd!

'Ga i wisgo menig rwber?' meddwn i gan grychu nhrwyn.

'*Be?* Cymer di ofal.' Mi neidiodd Mam ar ei heistedd yna suddo'n ôl gan riddfan drachefn.

'Yli, tyrd â'r bath babi yma i'r llofft. Mi fedra i ddweud wrthyt ti sut ma gwneud wedyn. Paid â rhoi gormod o ddŵr ynddo fo, a gofala dy fod ti'n dal dy fraich tu ôl i'w ben yn y dŵr.'

Wel, mi lwyddais rywsut, ond roedd yn gas gen i bob munud o'r orchwyliaeth. Ac roedd y clwt budr bron â chodi cyfog arna i.

Mi sychais y babi'n ofalus â thywel a rhwbio talcwm i'w rincls fel y gorchmynnodd Mam. Ac mi orweddodd yntau ar fy nglin yn ddigon tawel tra oeddwn i'n rhoi un o'r clytiau parod 'na iddo fo. Petasai fo'n fabi i rywun arall, mi fuaswn i wedi'i licio fo braidd hefyd, ond gan mai ein un ni oedd o, ac am fy mod i wedi cael llond bol ar ei grio a'r ypset yn y tŷ a ballu, caledu fy nghalon ddaru mi.

O'r diwedd mi fedrais ei roi i orwedd yn ei got hefo stumog lawn, am wn i.

'Wyt ti wedi codi gwynt iddo fo?' gofynnodd Mam.

'Do,' meddwn i heb flewyn ar fy nhafod.

Ochneidiodd Mam.

'Efalla y cysgith o rŵan,' mentrodd.

'Gymrwch chi baned neu dabled neu rywbeth?' gofynnais.

'Na. Dos di. Tria wneud tamaid i ginio.'

Dos, Gwenno. Gwna, Gwenno. Rhed, Gwenno. Does 'na ddim diwedd ar redeg yn y lle 'ma. Gwenno sgifi.

Mi es i lawr y grisiau'n ddigon penboeth gan fwmian cwyno o dan fy ngwynt. Roedd Dad yn y gegin.

'Rydw i wedi plicio'r tatws,' meddai, 'ac wedi crafu'r moron hefyd. A ma'r cig yn y popty.'

Syrpreis!

'Rwyt ti'n hogan reit dda,' meddai gan hanner gwenu arna i. 'Dydi hi ddim yn hawdd arnan ni rŵan, yn nac ydi? Hefo Rhodri a dy nain a phopeth.'

A dyma fo'n rhoi ei fraich am fy nghanol a'm gwasgu ato am eiliad.

Mi neidiodd y dagrau i'm llygaid yn syth ac mi fu bron imi ag eistedd ar y gadair a bloeddio fy mhen i ffwrdd run fath â'r babi. Am ei fod o'n cydymdeimlo â mi, am wn i, ac yn gweld fy mod i'n trio fy ngorau, er bod yn gas gen i waith tŷ a'r babi a cholli fy llofft a chant a mil o bethau eraill y medrwn i feddwl amdanyn nhw.

Mi wenodd arna i eto.

'Dos i ffonio Siw, os wyt ti eisio,' meddai. 'Ond paid â siarad yn hir.'

'Ew, diolch, Dad,' meddwn i gan neidio ar fy nhraed.

Mi es i'r lobi yn reit fflons fy ngherddediad er bod y cof am wahoddiad Gwawr yn ailddechrau berwi o'm mewn.

'Roeddwn i'n mynd i dy ffonio,' medda Siw pan atebodd. 'Disgo grêt neithiwr, tê?'

'Ia,' meddwn i, 'ond gwrando . . .'

'Goleuadau grêt, a'r cadeiriau melfed 'na . . . mor fodern a soffistigedig ac esmwyth . . .'

'Siw . . .'

'Welaist ti Tudur Lloyd yn sbïo arna i? Oni bai fod Prysor gen i . . .'

'*Siw*! Wyt ti rioed yn ffansïo hwnnw? Ddim Tudur Lloyd? Trwyn fel Pont y Borth ganddo fo.'

'O . . . dydi o ddim mor ddrwg â hynny. Welaist ti 'i ddillad o? Trowsus ciaci golau a hwnnw'n llac ar y cluniau. Ac mae o wedi torri'i wallt yn ffasiynol newydd. Ma Prysor mor hen ffash!'

'Siw!'

Roeddwn i wedi fy syfrdanu. Doedd hi rioed o ddifrif? Ddim â hithau wedi penderfynu priodi Prysor wedi iddi adael yr ysgol?

'Wel, . . . wnaiff o ddim drwg i Prysor boeni tipyn bach, yn na wnaiff? Nac i Derec Wyn chwaith.'

'O . . . Siw. Fedrwn i *byth* wneud peth fel'na i Derec Wyn. *Byth!* A ddeudaist ti ddim gair neithiwr.'

'Ffonio fi bore 'ma ddaru fo.'

'Prysor?'

'Naci siŵr. Tudur Lloyd,' wfftiodd Siw. 'Ew, ma gen ti ben meipen weithiau, Gwenno.'

Mi anwybyddais y sarhad.

'Ond beth oedd o'i eisio?'

'Siarad am yr hyn a'r llall . . . a mynd rownd y dre wrth drio gofyn imi fynd allan hefo fo, tê?'

Roedd fy nhafod i'n fud.

'Wyt ti yna?' holodd Siw wrth glywed y distawrwydd.

'Be ddeudaist ti wrtho fo?'

'O . . . dim llawer. Dweud fy mod i'n mynd allan hefo Prysor rŵan, ac nad oeddwn i'n siŵr a oeddwn i eisio newid.'

'Wyt ti? Eisio newid?'

'Nac oes, siŵr. Ma Prysor yn gariad!'

Mi roddais ochenaid o ryddhad.

'Tynnu nghoes i roeddet ti.'

'Na, mi ddaru ffonio. Wir yr! Braf tê? Cael dau ar f'ôl i.'

Fedrwn i ddim peidio â chwerthin, er fy mod i'n teimlo braidd yn eiddigus hefyd. Ddaru 'na neb ond Derec Wyn ofyn i mi. Nid fy mod i eisio i neb arall ofyn chwaith . . . ond mi fuasai'n neis petasai rhywun.

'Gwenno!' Llais Dad o'r gegin. 'Rwyt ti wedi siarad bron i ddeng munud ar y ffôn 'na.'

'O . . . daria!' meddwn i wrth Siw. 'Dad yn gweiddi fy mod i wedi siarad digon.'

'Mi wela i di fory, ta,' medda Siw.

'Na . . . *aros!*' Roedd fy llais i'n sgrech.

'GWENNO!' Llais Dad eto.

'Siw . . . mae'n rhaid imi gael dweu . . .'

'Mi glywa i dy dad yn gweiddi o fa'ma,' medda Siw. 'Deuda wrtha i fory.' A dyma hi'n rhoi'r ffôn i lawr.

Wel, nefoedd y rwdins. (A rhes o eiriau eraill!) Be wnawn i rŵan? Beth petasai Gwawr yn ffonio a finnau heb ymgynghori hefo Siw. Roeddwn i'n cnoi fy ewinedd mewn pryder.

'Mi fuost ddigon hir, a finna wedi dy rybuddio di,' grwgnachodd Dad yn bur flin.

Be sydd ar rieni? Funud yn ôl roeddwn i ac yntau'n cydweld â'n gilydd.

Mi ddaeth Nain i'r gegin.

'Ma hi'n dawel iawn yma'r bore 'ma,' medda hi.

Mi edrychon ni ar ein gilydd. Erbyn meddwl roedd hi'n ddistaw ryfeddol hefyd.

'Mam yn cysgu' meddwn i.

'Rhodri'n cysgu hefyd,' medda Dad. 'Mae'n rhaid dy fod ti'n ei ddallt o i'r dim, Gwenno. Dydi o'n cysgu fawr ddim ar ôl neb arall.'

Howld on, meddwn i wrthyf fy hun. Mae 'na berygl yn fa'ma. Ara deg hefo'r brolio neu . . .

'Efalla y buasai'n well iti roi bath iddo fo bob dydd . . . a'i fwydo hefyd. I dy fam gael seibiant.'

Roedd fy ngheg i'n agor a chau ond doedd 'na run gair yn dŵad allan. HELP!

Dydd Llun, Awst 6ed.

Mam yn wantan ar ei thraed hefo'i migren, Dad yn gweithio, Nain yn segura a minnau'n slafio! Ma'r babi 'ma eisio bwyd chwe gwaith yn y dydd!

Ma'r Ymwelydd Iechyd a'r Nyrs Fabis am y gorau yn 'i throedio hi am y tŷ 'ma. Mi fuasech yn meddwl mai babi'r

frenhines ydi o oddi wrth y sylw mae o'n 'i gael! Maen
nhw'n 'i lygadu fo fel petasen nhw rioed wedi gweld babi
o'r blaen, ac wedi iddyn nhw orffen maen nhw'n rwdlan
am gofrestru a phigiadau a chlinig nes mae fy llygaid i'n
serennu yn fy mhen. Siawns nad oes ganddyn nhw ryw-
beth gwell i'w wneud na dŵad ar draws tŷ rhywun o hyd.
A dydyn nhw'n gwneud fawr o les i afiechyd mawr y babi
. . . crio!

Roedd Nain yn pletio'i gwefus ac yn 'Hrmph
Hrmphian' fel petasai 'na asgwrn pysgodyn wedi ymgar-
refu yn ei gwddf.

'A sut ydach chi, Mrs Jones?' holodd yr Ymwelydd yn
garedig. 'Y sennau 'na'n byhafio eu hunain ganddoch chi
rŵan?'

'Hrmph!' medda Nain.

'Mae'n siŵr eich bod chi'n blino ar sŵn y babi 'ma,'
medda hi eto. 'Does dim tebyg i'ch aelwyd a'ch cartre eich
hun, yn nac oes? Ac, wrth gwrs, mae'n gymaint brafiach i'r
fam gael llonydd hefo'i phlentyn, yn tydi?'

Dew! Dyna ichi siarad plaen! Roeddwn i'n disgwyl i
Nain ffrwydro, a dweud wrthi am feindio'i busnes, ond ei
llygadu hi drwyn yn drwyn ddaru hi a dweud dim.

Mi droais i edrych ar Mam, ac mi fuaswn yn taeru fod
golwg gobeithiol ar ei hwyneb. Tybed oedd hi wedi cwyno
wrth yr Ymwelydd?

Chefais i ddim cyfle i *feddwl* am Siw, ddim â Mam mor
llegach. Ond, diolch byth, ddaru Gwawr ddim ffonio.
Efallai ei bod hi wedi anghofio!

Mi ffoniodd Derec Wyn tua saith. Wedi bod ar ei draed
trwy'r dydd, medda fo. Llenwi silffoedd a symud bocsys ac
ati. Mi fu bron imi â holi am y genethod oedd yn gweithio
yno . . . jest rhag ofn fod 'na un ofnadwy o brydferth, (heb
frychni haul, tê?) ond cau fy ngheg ddaru mi. Dydw i ddim
eisio iddo fo feddwl fy mod i'n eiddigus.

Dydd Mawrth, Awst 7fed.

Haleliwia! Mae cur pen Mam yn well a does dim angen i minnau fynd yn *agos* i'r babi!

'Rydw i'n mynd i dŷ Siw,' meddwn i wedi golchi'r llestri brecwast. 'Roeddwn i i fod i fynd ddoe.' (Jest i roi ar ddeall iddi am fy aberthau, tê?)

'Ia, chwarae teg iti,' medda Mam. 'Roeddwn i'n falch o dy help y ddau ddiwrnod diwethaf 'ma. Ac mi roedd Rhodri'n gymaint gwell wedi i ti ei fwydo.'

'Dydi Gwenno ddim yn licio babis,' medda Llŷr yn gegog.

Petaswn i'n ddigon agos, mi fuaswn wedi rhoi andros o gic iddo o dan y bwrdd.

'Nac ydi?' medda Mam â rhyw hanner gwên.

'Nac ydi. Mae hi wedi dweud.'

Wel, doeddwn i ddim am wadu'r ffaith, nac am ddweud celwydd chwaith. Felly, dweud dim byd wnes i.

'Maen nhw'n gwella fel maen nhw'n tyfu, ysti,' medda Mam.

'Ddaru hwnna ddim,' meddwn i gan bwyntio at Llŷr.

'Dim hwnna ydi fy enw i,' bloeddiodd Llŷr a'i wyneb yn fflamgoch. 'Dim hwnna. Naci hwnna. Llŷr. Llŷr ydi f'enw i. Gwenno seno, piso heno.'

'*Be* ddeudist ti?' gwaeddodd Mam. A dyma hi'n neidio i fyny ac yn gafael yn ei war a'i ysgwyd fel sach wlyb. 'Ble clywaist ti eiriau fel'na?'

'Aw! Garmon ddeudodd,' medda Llŷr gan wneud sŵn crio mawr.

'Mae eisio sebon i olchi dy geg di,' medda Mam yn chwyrn. 'Paid ti â gadael imi glywed geiriau fel'na gen ti eto, wyt ti'n dallt? Dydw i ddim am i Rhodri dyfu i fyny a'u clywed nhw.'

Fydd y babi 'ma ddim yn gwybod beth ydi byw, meddyliais. On'd ydi lot o bobl yn defnyddio geiriau fel'na? Ddim y fi, wrth gwrs, na Siw chwaith. Ond rhai pobl, tê? (Mi groesais fy mysedd. Fydda i ddim yn hollol gyfrifol am fy iaith pan fydda i wedi gwylltio!)

'Geiriau budron,' meddwn i wrth fy modd yn corddi rhagor ar y dyfroedd. 'Wyth oed wyt ti, ac yn defnyddio geiriau hyll fel'na.'

Mi dynnodd Llŷr ei dafod allan arna i.

'Ma Gwenno'n rhegi hefyd,' meddai. 'Mi'i clywais i hi. Damia, ddeudodd hi. Ar y ffôn wrth Siw.'

'Rioed,' meddwn i'n hunan-gyfiawnhaol. 'Fydda i byth yn rhegi.'

'Byddi.'

'Na fydda.'

'Byddi.'

Wel, wn i ddim am ba hyd y buasen ni'n taeru oni bai i Nain ddwad i'r gegin.

'Ma'r plant 'ma'n rhy gecrus o lawer, Menai,' medda hi'n siort. 'Diffyg trefn a disgyblaeth fel sydd ymhob un o'r cartrefi modern 'ma.'

Wel, roedd yn ddigon hawdd gweld fod Mam wedi cael digon arnon ni'n dau yn ffraeo heb sôn am wrando ar Nain hefyd.

'Does run ohonoch chi i symud o'r tŷ 'ma heddiw,' medda hi.

'Ond . . . Mam . . .' Roedd fy llais i'n sgrech.

'Na, Gwenno . . . dim cam.'

'Ond rydw i heb weld Siw . . .'

'Dyna ddysgu iti beidio â ffraeo hefo Llŷr, ta,' medda hi'n swta.

'A ma Garmon a fi'n mynd i'r pwll nofio,' cwynodd Llŷr. 'Rydw i wedi *gaddo*.'

'Dos i dy lofft a chliria'r domen sbwriel 'na sydd yno,' gorchmynnodd Mam. 'Y funud 'ma.'

Mi aeth Llŷr gan ruglo'i draed yn y carped a sbïo'n gas arna i.

'Ha!' meddwn i wrthyf fy hun. 'Waeth iddi heb â fy anfon *i* i'r llofft. Does gen i run . . . dim ond y landin.'

'A dos dithau i llnau'r ystafell ymolchi 'na. Ma'r bath yn gywilyddus,' medda hi wrtha i. 'Siawns na fedri di wneud rhywbeth felly i dynnu'r olwg dymer ddrwg 'na oddi ar dy wyneb.'

Wel, mi fuaswn i'n medru ffrwydro yn y fan a'r lle. Mae eisio dewin i fyw hefo rhieni. Un funud maen nhw'n neis a rhesymol . . . a'r funud nesaf does dim modd eu trin nhw. Ac am neiniau! Mae'r rheiny wrth eu *bodd* yn tynnu pawb i bennau'i gilydd.

Mi es i'r ystafell molchi'n ddigon drwg fy hwyl. Os oedd Mam yn meddwl fy mod i am drafferthu i llnau talcwm ac olion sebon pobl eraill, yna mi roedd hi'n camgymryd yn ofnadwy.

Mi ddylsai pawb lanhau ei lanastr ei hun, dyna rydw i'n 'i gredu. Mi sbïais ar y bath. Ych! Roedd streipen ddu o'i amgylch. Wel, doeddwn i ddim am gyffwrdd ynddo fo. Dim ffeiars! Mi gawsai pwy bynnag y'i gadawodd ymaflyd ynddi hefo'r stwff glanhau a'r cadach. Nid Gwenno Jones, diolch yn fawr ichi!

Mi eisteddais ar ochr y bath a chicio'n sodlau yn y panel ochr yn guchiog. Pwy ddefnyddiodd y bath ddiwethaf hefyd? . . . O na! Nid y *fi*?

Wel, mi fûm i'n trio a thrio plygu pethau fel mai cyfrifol-deb rhywun arall oedd y streipen, ond mi fu'n rhaid imi wynebu'r ffaith mai fi oedd heb rinsio'r bath ar f'ôl. Ac wedi imi ddŵad i'r casgliad annifyr hwnnw, wel, fedrwn i ddim mynd yn ôl ar fy nghred, yn na fedrwn?

Mi es i lawr y grisiau yn ddigon bethma i nôl y stwff glanhau.

'Wyt ti byth wedi dechrau?' gofynnodd Mam yn flin.

Wel am anniolchgar! Roeddwn i wedi derbyn fy ngham ac yn barod i weithredu ar y ffaith, on'd oeddwn?

'Dechrau rŵan,' meddwn i'n bur siort.

Mi edrychais i'n reit gas ar Nain hefyd, achos fedra i'n fy myw beidio â chredu mai ei bai hi ydi'r strach yma. Petasai hi heb ddechrau pregethu am ddiffyg disgyblaeth ac ati.

Mi ganodd y ffôn yn union fel y cyrhaeddodd y nyrs (Mae hi a'r Ymwelydd Iechyd fel io-ios. Os nad ydi un yma, ma'r llall.)

'Mi ateba i o,' meddwn i, gan obeithio cael cyfle i siarad â rhywun synhwyrol.

'Hylo . . . Gwenno'n siarad,' meddwn i yn fy llais mwya awdurdodol.

'Hiya! Gwawr sy 'ma.'

Mi ddisgynnodd fy nghalon i'n syth i'm sgidiau.

'H . . . hiya!' meddwn i'n bur llugoer. 'Sut wyt ti?'

'Iawn. Doedd o'n ddisgo grêt nos Sadwrn? Werth dŵad yn f'ôl i fynd iddo fo.'

'Oedd, doedd?'

Beth oeddwn i am ei ddweud wrthi? Ffadin gorn! Petaswn i ond wedi cael cyfle i sôn wrth Siw!

'Yli, wyt ti am ddŵad draw? Mae Modryb yn dweud y cawn ni bicnic ganddi, neu ddŵad yn ôl i'w fwyta yn yr ardd yma, os liciwn ni. Soniaist ti wrth Siw?'

'Ddim wedi cael cyfle eto,' meddwn i a'r chwys yn diferu i lawr f'asgwrn cefn. 'Fedra i ddweud dim nes y bydda i wedi'i gweld hi.'

'Wel, ma Gwen yn dŵad.'

Mi aiff y sgiaman honno i rywle, meddwn i wrthyf fy hun. Yn enwedig os caiff hi damaid am ddim.

'O . . . ydi?'

'Ydi.' Distawrwydd am ennyd. 'Ma'r byngalo 'ma ar lan y môr jest. Wrth ochr y ffordd sy'n arwain i'r traeth. Grêt i redeg i ymdrochi a dŵad yn ôl i dorheulo yn yr ardd wedyn.'

Mi wyddwn i! Yr union fynaglo!

'Ac mi rydw i wrth fy modd yma . . . cael gwneud fel y licia i.'

65

Dew! Petasai hi ond yn cau'i cheg am eiliad imi gael hel fy meddyliau at ei gilydd.

'A wyddost ti, mi ddigwyddodd 'na rywbeth rhyfedd wythnos diwethaf, medda Modryb.'

'D . . . do?'

'Do. Pedwar wedi colli'u dillad ar y traeth. Rhywun wedi dwyn eu pethau nhw i gyd. Ofnadwy, tê? Cael benthyg rhai Modryb ac Ewythr. A chredi di byth mo hyn . . .'

'N-na wnaf?'

'*Roedden nhw'n starcyrs . . . yn noethlymun groen!*'

'Ew! Wyt ti rioed yn dweud?'

Doedd 'na fawr o argyhoeddiad yn fy llais i.

'Ys gwn i pwy oedden nhw? Mi fuaswn i wrth fy modd yn cael gwybod.'

Y chdi, a'r ysgol, a'r byd i gyd, meddwn i wrthyf fy hun. Waeth ei gyhoeddi fo ar Newyddion S4C ddim.

'Wel, wyt ti am ddŵad?'

'Ga i adael iti wybod?' meddwn i. 'Prysur hefo'r babi a phopeth.'

'Iawn ta. Ond ffonia fory. Aber 3928 ydi'r rhif.'

'Iawn. Mi wela i di.'

'Iawn, ta.'

Mi eisteddais i wrth y ffôn am eiliad hir. Be felltith wnaen ni rŵan? Roedd yn rhaid imi ymgynghori hefo Siw. Mi godais y ffôn.

'Siw!'

'O . . . y chdi sy 'na? Roeddwn i'n meddwl dy fod ti'n dŵad draw.'

'Dim amser i sôn am hynny rŵan. Yli, ma Gwawr wedi . . .'

Mi ddaeth Mam o'r lolfa, a'r nyrs wrth ei chwt.

'Brysia ar y ffôn 'na Gwenno, gorchmynnodd Mam. 'Mae Miss Dafis eisio ffonio'r swyddfa.'

A dyma'r ddwy yn sefyll fel polion ffens yn y lobi . . . a pharatoi i wrando ar bob gair ddywedwn i.

'Beth oedd am Gwawr!' holodd Siw o'r ochr arall.

'O . . .' meddwn i yn ffrwcslyd. 'Mi ddo i i lawr rŵan.'

'Ei di ddim i unlle heddiw, Gwenno,' medda Mam yn awdurdodol. 'Rydw i wedi dweud wrthyt ti, pam, y bore 'ma. Y chdi a Llŷr.'

Mi drodd at y nyrs.

'Rhaid cadw disgyblaeth, yn bydd, ychi?'

Roeddwn i'n teimlo fel rhegi'n sych . . . a hir . . . a thrwyadl! Ac mi roeddwn i'n cael y drafferth fwyaf i'w cadw nhw rhag byrlymu oddi ar fy nhafod hefyd. Mi fuasech yn meddwl mai hogan fach oeddwn i. Yn ddigon bach i'm beirniadu o flaen pobl ddieithr. Dydi rhieni ddim yn meddwl am deimladau'u plant.

'Wel, wyt ti'n dŵad draw, ta ddim?' holodd Siw.

'Cha i ddim,' meddwn i'n benderfynol o godi cywilydd ar Mam am iddi fyhafio mor deyrn. 'Rydw i'n garcharor yn y tŷ 'ma am heddiw. *A dydw i ddim wedi gwneud dim chwaith*!'

A dyma fi'n taflu'r derbynnydd i lawr ac yn carlamu'n swnllyd i fyny'r grisiau. Doedd waeth gen i am ddeffro'r babi felltith, na dim!

'Gwenno! Tyrd i lawr y funud 'ma,' gorchmynnodd Mam.

Ond cyrraedd fy llofft a rhoi clep *anferth* ar y drws . . . a'i gloi . . . ddaru mi, a fy nhaflu fy hun ar y gwely a'r dagrau'n powlio i lawr fy wyneb i. Fy llofft i! Fy ngwely i! Nid rhai Nain. A doeddwn i ddim am ddŵad allan i neb chwaith.

'Gwenno! Tyrd o'na'r funud 'ma,' gorchmynnodd Mam o'r landin. 'Agor y drws 'ma, wyt ti'n clywed? Y funud 'ma, Gwenno!'

Ond roeddwn i wedi cael llond bol. Ar Llŷr roedd y bai. Y fo ddechreuodd. A pham oedd yn rhaid i mi gael fy nghosbi ac yntau'n achos y drwg.

'Gwenno!'

Mi ysgydwodd Mam y drws nes roedd o'n diasbedain. 'Mi ddeuda i wrth dy dad,' bygythiodd.

Doedd waeth gen i wrth bwy y dywedai hi. Mae pawb yn fy erbyn i yn y lle 'ma. Y fi'n sy'n forwyn fach i bawb, a dydw i'n cael dim diolch gan neb . . . wel, dim llawer, tê? Dim ond ambell i air caredig, ac un cas yn syth wrth ei gwt!

'Gwenno!' Roedd sŵn rhoi i fyny yn llais Mam bellach. 'Tyrd allan, wnei di? Yli, paid â gwneud sioe ohonot dy hun.'

Y fi? Gwneud sioe? Dim ffeiars. Mi fuasai'n well iddi ei beirniadu ei hun i ddechrau. Annheg. Blydi andros o annheg!

Mynd oddi yno ddaru Mam o'r diwedd. Mi orweddais innau ar y gwely yn fy moddi fy hun yn yr annhegwch. Mae'n rhaid fy mod i wedi cysgu, achos y peth nesa glywais i oedd llais Dad y tu allan.

'Gwenno! Gwenno, dyna ddigon o dy bwdu di. Wyt ti ddim yn meddwl fod gan dy fam ddigon i'w wneud heb boeni amdanat ti hefyd? Dangos dy hun i bawb.'

Ddeudais i ddim am ennyd hir. Beth oedd yna i'w ddweud, tê, os mai fel'na roedd o'n teimlo?

'Agor y drws, Gwenno,' medda fo a'i lais yn meddalu'n sydyn. 'A tyrd i lawr i gael dy ginio.'

Erbyn imi sylweddoli, mi roeddwn i jest â llwgu hefyd! Mi godais yn bur anfodlon a datod clo'r drws a'i agor.

Mi edrychon ni'n dau ar ein gilydd am ychydig, yna dyma Dad yn gwenu a rhwbio'i law tros fy ngwallt.

'Gwenno, Gwenno, be wnawn ni hefo ti, dywed?'

Mi fu bron imi â dechrau crio o ddifri. Y drefn roeddwn i'n ei ddisgwyl, nid geiriau caredig.

'Yli, ymddiheura i dy fam, ac mi anghofiwn ni'r storm 'ma.'

Mi deimlais yr annhegwch yn ailddechrau corddi o'm mewn.

'Doedd dim angen iddi hi siarad fel'na gyferbyn â'r nyrs. Fy nhrin i fel hogan fach.'

Ochneidiodd Dad.

'Yli, Gwenno, mi rwyt ti'n gwybod nad ydi pethau ddim yn esmwyth iawn yn y tŷ 'ma ar hyn o bryd. Babi newydd . . . dy fam heb gryfhau eto . . . a Nain yma hefyd. Ac mae'n naturiol i bethau fynd yn drech na hi weithiau . . . ac iddi golli'i thymer.'

Mi'i dilynais i o i lawr y grisiau ac i'r gegin. Roedd Mam yn sefyll wrth y sinc.

'Sori, Mam,' meddwn i.

'Ia, wel . . . Gwenno. Efallai fy mod inna wedi bod braidd yn fyrbwyll,' medda Mam.

Syrpreis! Ond mi gymerais i fod yr ychydig eiriau yna yn hanner ymddiheuriad, a doeddwn i ddim eisio magu dig.

'Efallai y bydd 'na ychydig o dawelwch yn y tŷ 'ma rŵan,' medda Nain. 'Hynny ydi, os gwnaiff Rhodri stopio crio, tê?'

Mi welais i wefusau Mam yn miniogi, ond cau ei cheg ddaru hi . . . a Dad hefyd. Roedd pawb wedi cael digon o ffraeo am heddiw.

Dydd Mercher, Awst 8fed.

Roedd 'na dawelwch wedi storm yn ein tŷ ni y bore 'ma, a phawb fel petasen nhw'n ofni sathru traed ei gilydd . . . hyd yn oed Nain!

'Dos i wneud dipyn o siopio imi,' medda Mam, 'ac mi gei bicio i weld Siw run ffordd.'

Wel, doedd dim angen dweud wrtha i eilwaith. Roeddwn i wedi carlamu i fyny'r grisiau, ac wedi gwisgo fy jîns ail orau a chrys coch cyn i run ohonyn nhw orffen cnoi'u cil ar ôl brecwast.

Mi ddaliais y bws hanner awr wedi naw i dŷ Siw.

'Ew! Be ddigwyddodd iti ddoe?' gofynnodd honno pan welodd hi fi ar stepan y drws. 'Roedd sŵn ffraeo o gwmpas y ffôn.'

'Ffraeo fuaset tithau hefyd,' meddwn i'n gadarn, 'petaset ti'n cael dy drin fel y fi yn y tŷ acw.'

'Tywallt dy folws. Deuda wrth Anti Siw,' medda hi'n gydymdeimlad i gyd.

Fûm i fawr o dro ag ufuddhau.

'Wyt ti rioed yn dweud?' meddai hi'n geg agored.

'Ydw,' meddwn i. 'Ac mi ddaru Mam ymddiheuro imi wedyn hefyd. Wel, hanner ymddiheuro . . . ond mae hynny run peth, yn tydi?'

'Ia, wel, anghofio ydi'r peth gora rŵan,' medda Siw. 'Does dim da o deulu'n ffraeo.'

Digon hawdd iddi hi siarad. Mae'i rhieni hi fel ŵyn bach yn ymyl fy rhai i. Yn hawdd eu trin.

'Ond, gwrando,' meddwn i. 'Rydw i'n trio dweud wrthyt ti ers cantoedd. Teulu Gwawr sydd yn y byngalo hwnnw . . . ac ma hi'n gwybod rhan o stori'r dillad . . . ond ddim mai ni oedden nhw.'

'Wel?' medda Siw yn berffaith ddidaro.

'Ond beth petasai hi'n cael allan? Mi fuasai pawb yn siarad amdanon ni.'

'Pa ots am hynny?' medda Siw.

'Ond . . . ond . . .'

Mi drodd Siw i edrych arni'i hun yn y drych.

'Ia,' medda hi wedyn. 'Pa ots? Rydw i'n fy ffansïo fy hun fel un o enwogion dosbarth pedwar y flwyddyn nesa 'ma. Fel un o enethod Tudalen Tri, tê?'

'*Ych*! Ble ma dy hunan-barch di?'

'Ia, wel, nid yn hollol run fath, yr het. Ond yn enwog a mentrus.'

Yna dyma hi'n dechrau ei lladd ei hun yn chwerthin.

'O . . . dy wyneb di, Gwenno Jones! Gwep iâr wedi deor estrys!'

'Paid â siarad lol, ta,' meddwn i'n ddigon bethma.

Doeddwn i ddim wedi dŵad yno iddi gael hwyl am fy mhen, yn nac oeddwn?

'Wel, dydi o ddim ots i bawb gael gwybod am y lladrad, yn nac ydi?'

'Ond mae o gen i. A mi fuasai mam Derec Wyn yn wallgo!'

'Dew, dwyt ti ddim am boeni am honno?'

'Dydw i ddim eisio i *neb* gael gwybod. Fedrwn i ddim diodda bod yn sbort.'

Doedd waeth imi heb â thrio argyhoeddi Siw.

'Ond, be wnawn ni hefo mynd i Aber at Gwawr? Mi fydd ei theulu hi'n siŵr o'n hadnabod, os awn ni.'

'Fuasai dim ots gen i fynd. Ond os wyt ti'n poeni, wel, deuda na fedran ni ddim,' atebodd Siw gan ystumio'i hysgwyddau'n ddi-hid.

'O iawn, ta,' meddwn i'n falch.

'Fuaset ti ddim yn licio gwneud rhywbeth *gwahanol* weithiau?' gofynnodd Siw yn sydyn ddiflas. 'Rhywbeth i'n deffro ni o'r bywyd undonog, dim byd yn digwydd, 'ma?'

Mi edrychais i'n syn arni.

'Undonog? Sut y medr o fod yn undonog hefo Derec Wyn a Prysor? Dim byd yn digwydd ddeudaist ti? Tasa ti'n byw yn ein tŷ ni. Miri Nain . . . a Llŷr . . . a rhieni . . . a babi'n bloeddio'i ben i ffwrdd o fore tan nos.'

'Pethau allanol ydi'r rheiny.'

'Ond mi rydw i yn eu canol nhw . . . maen nhw'n effeithio arna i.'

'Petha bob dydd . . . *cyffredin* ydyn nhw.'

'Wel . . . be arall sy 'na?'

'Profiadau newydd . . . newid pethau . . . newid ein hunain.'

Wel, mi fedrwn i weld fod Siw yn mynd dros ben llestri'n lân, ac mi roedd hynny'n dipyn o sioc, achos

soniodd hi run gair o'r blaen ei bod hi'n anfodlon ei byd.
Ond dyma hi'n troi ac yn edrych ym myw fy llygaid i.

'Faint o dy addunedau gadwaist ti?'

'Addunedau?' meddwn yn hurt.

Be aflwydd oedd a wnelo'r rheiny â dim?

'Addunedau wnest ti erbyn y flwyddyn newydd, tê?'

'O . . . *rheiny*!'

'Ia . . . rheiny.'

'Wel . . . ym . . . dydw i ddim yn cofio'n iawn . . .'

'Affliw o run, tê?'

'Rydw i'n dal i garu Derec Wyn . . . dyna oedd un
adduned. Y bwysicaf.'

'Ia . . . ond y lleill?'

Wel, roeddwn i wedi cael llond bol ar gael fy nghroesholi
fel petaswn i mewn llys barn, heblaw nad oeddwn i'n cofio
reit yn y fan a'r lle beth oedd gweddill yr addunedau.

'Dew, ydi ots?' meddwn i'n reit bigog. 'A pheth bynnag,
faint gadwaist *ti*?'

'Dyna be rydw i'n 'i feddwl. Rydyn ni *am* wneud
pethau, ond byth *yn* yn eu gwneud nhw.'

Doedd gen i ddim amser i baldaruo'n ddi-ben-draw hefo
Siw a finna eisio siopio i Mam a phopeth. Ac, a dweud y
gwir, doeddwn i ddim wedi meddwl am fy addunedau ers
dechrau'r flwyddyn . . . pwy sydd, tê?

'Yli, rhaid imi fynd,' meddwn i. 'Iawn i wrthod Gwawr
felly?'

'Ym?' Roedd Siw a'i phen yn ei rhestr addunedau.

'Iawn i wrthod Gwawr?'

'Ia, os oes raid iti.'

Mi es i oddi yno yn ddigon ffwrbwt. Siw a'i haddunedau
a'i thudalen tri! Ond roedd baich wedi'i godi o f'ysgwydd-
au i hefyd. Efallai na ddeuai Gwawr i wybod gwir stori'r
lladrad rŵan.

Mi anelais am Tesco. Roeddwn i am ladd dau dderyn ar
yr un pryd. Siopio i Mam . . . a gweld Derec Wyn.

Mi afaelais yn y troli a dechrau'i bowlio rhwng y silff-oedd gan lygadu yma ac acw am unrhyw gip ohono fo. Mi fedrwn i fy nychmygu fy hun . . . wedi imi briodi Derec Wyn. Mi fuaswn i'n siopio yn yr archfarchnad ddwywaith yr wythnos. Yn prynu bwydydd o'r math gorau (bwydydd iach fel cyw iâr a physgodyn, tê, achos doeddwn i ddim eisio i Derec Wyn gael trawiad ar ei galon), ond mi fuaswn i'n prynu gwin gwyn hefyd, glasiad bach hefo'n cinio bob nos, wrth gwrs. Mae pawb yn dweud fod hynny'n iachus. Ac mi fuaswn i'n mynd adre ac yn coginio popeth yn berffaith . . . ac mi fuasai'r bwrdd wedi'i osod yn drefnus gyda llestri drud a chyllyll a ffyrc arian, ac mi fuasai Derec Wyn yn dŵad adra o'i waith ac yn fy nghusanu ar garreg y drws, ac mi fuasen ni'n troi'n ôl i'r tŷ a'n breichiau am ein gilydd . . .

Mi droais y gongl rhwng y tuniau ffrwyth a'r pacedi grawnfwyd yngholl mewn breuddwydion ysblennydd ac mi fu bron imi â thaflu Derec Wyn, tin dros ei ben, i'r troli anferth oedd wrth ei ochr.

'Hei, pam na edrychw . . .' medda fo'n wyllt.

Ond chymerais i ddim tamaid o sylw ohono fo. Sut y medrwn ni, tê, a'm llygaid ynghlwm wrth y feudan wallt melyn a safai wrth ei ochr. *Mandy Webb.*

'Gwenno!' medda hi'n wên i gyd. 'I was asking Derec Wyn about you. I'm so glad to see you. Just like old times, isn't it?'

A chyn imi gael fy ngwynt ataf, roedd hi wedi ymaflyd yndda i a gweud andros o sŵn sws rywle o gwmpas fy nghlust.

Old times, wir! Mi fedrwn i gofio'r 'old times' roedd hi'n eu sôn amdanyn nhw. Oriau o boen ac eiddigedd a dreuliais i tra oedd hi'n mynychu'n hysgol ni am ychydig wythnosau. Ac mi fedrwn i gofio fel yr anelodd hi am Derec Wyn a sticio fel gelen er imi drio fy ngorau i'w datgysylltu hi. Y hi a'i diddordeb mewn cyfrifiaduron.

Roedd hi'n mynnu siarad geg yn geg hefo Derec Wyn nes roeddwn i'n wallgo bost.

'N-nice to see you again,' meddwn i a'r geiriau yn eu llusgo eu hunain oddi ar fy nhafod. 'Here for the day?'

Mi groesais fy mysedd i ddisgwyl ei hateb.

'O . . . no,' medda hi gan chwerthin fel tincial dŵr i bwced. Iyc! 'I'm here for the rest of the holiday. Daddy's expanding the factory, you know. I shall be able to see a lot of you. Every day. What about that computer, Derec Wyn? Have you bought that new programme advertised in the mag yet?'

'Yes, it's great,' medda Derec Wyn. 'Have you . . .?'

Mi roeddwn i'n dalp o eiddigedd a thymer . . . a thymer ac eiddigedd. Ac yn waeth na'r cyfan, roedd Derec Wyn yn sbïo i wyneb Mandy Webb â hen wên wirion feddal ar ei wyneb. *A doedd o ddim yn cymryd sylw ohona i*!

'Excuse me,' meddwn i gan ymladd i gadw'r cryndod tymherus o'm llais. 'I must be going. Lots of shopping to do. Enjoy your stay, Mandy.'

'Hei, Gwenno, dwyt ti rioed yn mynd rŵan?' medda Derec Wyn gan gofio amdana i o'r diwedd.

'Prysur,' meddwn i'n siort. 'A does dim i'm cadw yma, yn nac oes?'

'Ond dwyt ti ddim ond newydd weld Mandy . . .'

Mi roedd y wên ar fy wyneb bron â'm lladd, ond mi roeddwn i am ei chadw yno doed a ddelo. Doedd Derec Wyn ddim hyd yn oed wedi dweud 'hylo' wrtha i . . . ddim yn iawn. Na, roedd o'n rhy brysur yn llyncu Mandy Webb â'i lygaid, y dwpsan Seisnig snobyddlyd iddi hi.

Mi roeddwn i'n friw crasboeth o'm mewn pan gyrhaeddais adre.

'Mi fuost ddigon hir,' medda Mam gan balfalu yn y bag neges. 'A ble mae'r bacwn?'

'Yyy?'

'Y bacwn. Ble ma fo?'

Siwgr gwyn! Roeddwn i wedi anghofio siopio am weddill y rhestr wedi imi weld Mandy Webb gythraul!

'Rydw i'n synnu atat ti,' meddai Mam yn flin. 'Fedra i ddim ymddiried dim ynot ti . . . hyd yn oed rywbeth syml fel rhestr siopio.'

A dyma hi'n troi'n bur guchiog i gadw'r neges yn y cwpwrdd.

'Sori,' meddwn i, ond heb fawr o argyhoeddiad. Roeddwn i'n poeni gormod am Mandy Webb.

'Rhaid imi ffonio Siw,' meddwn i wrthyf fy hun. 'Y funud 'ma hefyd.'

A dyma fi'n ei sgrialu hi am y lobi ac yn codi'r ffôn.

'Pwy wyt ti'n ei ffonio rŵan?' gofynnodd Mam yn bigog.

'Siw . . .'

'*Siw*!' Roedd llais Mam wedi codi'n sgrech. 'Dwyt ti ddim ond newydd ei gweld hi. Rho'r ffôn i lawr y funud 'ma. Does gen ti ddim syniad o gost pethau. Dy dad yn slafio i'n cadw ni i gyd . . . a chditha'n ei ddefnyddio fel pe buasa fo i'w gael yn rhad ac am ddim. Rhag cywilydd iti.'

A dyma hi'n fflownsio'n dymherus am y gegin.

'Ond, Mam . . .'

'Na.'

'Dim ond dwy funud fydda i . . . plîs, Mam. Eisio dweud . . .'

'Na.'

Mi welais innau Iwerddon yn syth!

'Dydi o ddim yn deg! Cha i ddim gwneud dim yn y lle 'ma,' mi waeddais nerth esgyrn fy mhen.

'Pan fyddi di'n byhafio fel rhywun cyfrifol . . .' medda Mam yr un mor chwyrn. 'A phaid â gweiddi rhag ofn iti ddeffro Rhodri.'

'Rhodri! Does na neb ond y fo'n bwysig yn y tŷ 'ma,' gwaeddais. 'Dim ots am Llŷr a finna, yn nac ydi. *Y babi* sy'n bwysig. Y fo sydd eisio'i ystyried bob amser. Neb arall.'

'Dos i'r llofft os na fedri di dy reoli dy hun,' gorchmynnodd Mam.

'Llofft? Sgin i ddim llofft, yn nac oes, dim ond landin.'

Mi ddeffrodd y babi wrth gwrs.

'Yli be rwyt ti wedi'i wneud rŵan,' medda Mam yn flin. Ac i ffwrdd â hi ar duth i'r llofft.

Mi eisteddais inna'n fflamboeth wrth y bwrdd. Roeddwn i wedi cael llond bol. Ar Mam a Dad . . . ar Nain . . . ar Llŷr . . . ac yn enwedig ar y *babi*. Ac roeddwn i'n gnofa boenus tu mewn wrth gofio am Mandy Webb.

Mi ddaeth Nain i mewn i'r gegin.

'Hm!' medda hi. 'Gweiddi ofnadwy yma. Be sy?'

'Dim byd,' meddwn i'n siort.

Mi edrychodd Nain arna i'n synfyfyriol am ennyd.

'Wyt ti eisio dy lofft yn ôl, Gwenno?' gofynnodd yn blwmp ac yn blaen.

Wel, roedd o ar flaen fy nhafod i'w hateb yr un mor blwmp a phlaen. Oeddwn, mi roeddwn i eisio fy llofft. Oeddwn, mi roeddwn i wedi hen ddiflasu ar gysgu mewn gwely gwersyllu ar y landin, ac oeddwn, mi roeddwn i'n ddiflas gorn wrth wybod nad oedd gen i unlle i fod yn breifat, hefo fy mhethau fy hun. Ond rywsut, wrth edrych i wyneb Nain, fedrwn i ddim.

'Na, Nain,' meddwn i'n gloff. 'Popeth yn mynd o chwith heddiw ydi o.'

'Hm,' medda Nain eto. 'Wela i ddim bai arnat ti, ysti. A mae pethau'n rêl traed moch yn y tŷ 'ma, yn tydyn? Does gan dy fam ddim mwy o syniad . . .'

Mi bletiodd ei gwefus a chau'i cheg yn glep fel y daeth Mam i'r gegin.

'O!' medda Mam gan sbïo'n gas i gyfeiriad Nain. 'A dim syniad am be, Mrs Jones, ys gwn i?'

'Dew!' meddwn i wrthyf fy hun. 'Dyna hi'n rholocs rŵan!'

Fydd Mam byth yn galw Nain yn Mrs Jones ond pan fydd hi'n paratoi am storm.

'Sôn am ddiffyg trefn y dulliau modern 'ma roeddwn i,' medda Nain. (Doedd hithau ddim yn un i chwifio baner wen ar ddechrau brwydr.)

'A pha ddiffyg trefn ydach chi wedi sylwi arno felly?' gofynnodd Mam yn felys.

'Os ydi'r cap yn ffitio . . .' medda Nain.

Mi'u gadewais i nhw'n rhythu ar ei gilydd ac yn paratoi am frwydr tân a brwmstan. Rŵan oedd fy nghyfle, tê? Mi gipiais fy siaced a'i gwadnu hi am fws i dŷ Siw.

'Be sy wedi digwydd?' holodd Siw cyn gynted ag y gwelodd fy ngwep ar garreg y drws. 'Tywysog Charles wedi torri'i goes?'

'B-be?' meddwn yn hurt.

'Jôc, yr het.'

'O!' Doedd gen i ddim amser na chalon i wastraffu amser ar bethau gwirion. 'Mandy Webb wedi dŵad yn ei hôl,' meddwn i a'm gwynt yn fy nwrn. 'Wedi'i gweld hi yn Tesco. Ac mi roedd hi bron â llyncu Derec Wyn. Be wna i?'

'Whiw!' chwibanodd Siw mewn rhyfeddod. 'Roeddwn i'n meddwl ein bod ni wedi gweld ei chefn hi. Be ma hi'n ei wneud yma?'

'Ei thad yn ehangu'r ffatri. Dim ots am hynny. Be wna i os bydd hi ar ôl Derec Wyn eto? Mi'i lladda i hi.'

'Wel, dyna ti wedi ateb dy gwestiwn dy hun,' medda Siw gan chwerthin. 'Be gymri di? Cyllell, ta gwenwyn?'

Roeddwn i bron â chrio.

'Ond, Siw, mae gen i ofn colli Derec Wyn. Ac mi roedd hi'n dechrau sôn am gyfrifiaduron eto, ac mi rwyt ti'n gwybod nad oes gin i ddim obadeia amdanyn nhw. Mi fydda i'n gwsberan hefo'm cariad fy hun.'

'Does dim angen croesi pont cyn cyrraedd ati,' medda Siw yn wybodus. 'Ella na fydd hi ddim yma'n hir. Ac mi roedd ganddi gariad ei hun. Jason neu rywun.'

Wel, doedd hynny fawr o gysur wrth imi gofio'n ôl. Roeddwn i'n siŵr ei bod hi wedi ffansïo Derec Wyn yr adeg honno, ond ei bod hi wedi methu â'i ddwyn o oddi arna i.

'Ew,' medda Siw a dechrau chwerthin. 'Wyt ti'n cofio'i geiriau hi yn yr ysgol? "He's a pet," dyna ddywedodd hi am Derec Wyn. A "yours?" medda hi wedyn fel petasa fo'n bwdl.'

Gwenu'n ddigon bethma ddaru mi. Nid nad oeddwn i'n cofio popeth a fu rhyngddon ni yr adeg honno. Mandy Webb fel gelen wrth ochr Derec Wyn trwy amser cinio, yn mynnu dŵad i eistedd ar y bwrdd hefo ni ac yn brygowtha geg yn geg am gyfrifiaduron hefo Derec Wyn, a finna'n swp syrffed wrth eu sodlau tra oedden nhw'n trafod rhaglenni a Kilobytes a disgiau a Mouse a Software a Hardware nes roeddwn i'n sowldiwr tymherus.

'Be wna i?' holais Siw yn dorcalonnus.

'Dal dy dir,' medda Siw. 'Does run frwydr wedi'i cholli cyn ei dechrau.'

Sniffian braidd yn ddigalon ddaru mi, ond mi fedrwn weld fod llawer o synnwyr yn ei chyngor.

'Mi wna i goffi,' medda Siw. 'Codi calon, tê?'

Wel, mi siaradon ni ac mi siaradon ni am oriau, nes imi sylweddoli'n sydyn ei bod hi'n amser imi fynd adra. Chwarter wedi pump!

Lwcus! Mi gofiais fy mod i wedi anghofio'r bacwn hefyd, ac mi anelais ar duth gwyllt am y siop i brynu peth. I Tesco. Châi Derec Wyn ddim ymgolli ym mhoethder llygaid Mandy Webb heb i mi roi nhroed i lawr.

Mi gyrhaeddais ychydig funudau cyn amser cau.

'Dydyn ni ddim yn arfer serfio mor hwyr,' medda'r hogan yn reit bigog. 'Newydd gadw'r bacwn.'

'Hanner awr wedi ma'r siop yn cau, tê,' meddwn i yr un mor bigog â hithau. 'Neu felly mae o'n 'i ddweud ar y drws, beth bynnag.'

Ei estyn o ddaru hi, ond mi fedrwn weld fy mod i wedi codi'i gwrychyn yn anfaddeuol. Camgymeriad.

'Ydi Derec Wyn wedi mynd?' meddwn i gan drio gwenu'n wendeg arni.

'Be wn i?' medda hi'n siort gan estyn y bacwn a throi'i chefn i gadw'r hambwrdd yn yr oergell.

Welais i ddim arlliw ohono fo er imi hofran tu allan i'r drws nes roedd pawb wedi mynd.

Roedd awyrgylch torri cyllell yn ein tŷ ni pan gyrhaeddais adre.

'Ble buost ti?' holodd Mam a'i hwyneb yn gynddeiriog. 'Mynd allan o'r tŷ 'ma heb gymaint â dweud . . .'

'Nôl bacwn, tê,' meddwn i'n hunan-gyfiawnhaol. 'Wedi anghofio fo, doeddwn?'

'Mi gymeraist ddigon o amser. Dos i blicio tatws ar gyfer sglodion. Mi gawn facwn ac wy hefo nhw.'

Roeddwn i'n yfflon gorn tu mewn. Plicio tatws! Fel pe na fuasai gen i ddigon ar fy meddwl, tê?

'Dydw i'n gwneud dim ond slafio yn y tŷ 'ma,' meddwn i'n rwgnachlyd. 'Sgifi!'

'Plicia nhw, a llai o dafod,' gorchmynnodd Mam.

Rargol! Dydi wiw imi agor fy ngheg nad ydi hi'n neidio i mewn iddi.

'Ble ma Nain?' meddwn i.

'Timbyctŵ, gobeithio,' medda Mam o dan ei gwynt.

'Be?'

'Dim byd,' medda Mam. 'Ond os ydi hi'n meddwl fy mod i am ddiodda'n ddistaw tra mae hi'n beirniadu a gweld bai o hyd, mae hi'n gwneud camgymeriad mawr. Mawr iawn, hefyd.'

'Chware teg i Nain,' meddwn i. 'Trio helpu ma hi.'

'Helpu?' Mi feddyliais i fod Mam am gael strôc. 'Rydw i wedi cyrraedd pen fy nhennyn, a dyna'r gwir amdani, Gwenno. Fedr pethau ddim aros fel hyn.'

Mi afaelodd rhyw ias ryfedd yn fy nghalon i.

'Ydach chi rioed am 'i hel hi o'ma?'

'Ma dy nain yn ddigon tebol i fyw ar ei phen ei hun. Does 'na ddim byd o'i le arni hi rŵan.'

'Ond beth am gracio'i sennau a hypothermia? A dydi hi ddim eisio byw ar ei phen ei hun.'

'Mae 'na ffasiwn beth a Chartref, Gwenno. Cartre i hen bobl. Lleoedd braf, a hwythau'n cael pob tendars.'

'Ond ma Nain yn perthyn i ni. Y ni ddylai edrych ar ei hôl hi, nid pobl eraill.'

Ochneidio ddaru Mam a gorchymyn imi orffen y tatws a pheidio â siarad. A phan gyrhaeddodd Dad o'i waith, dyma hi'n gafael ynddo fo'n syth ac yn diflannu hefo fo i fyny'r grisiau.

'Ydi swper yn barod?' gofynnodd Llŷr gan redeg i mewn yn fwd ac yn faw i gyd.

'Molcha,' meddwn i'n siort, 'a byhafia dy hun.'

'Dim y chdi sy'n gorchymyn,' medda fo.

'Wyt ti eisio bet, y crachgi bach?' gofynnais gan anelu amdano fo.

Mi dynnodd ei dafod allan yn ddigywilydd cyn ei heglu hi am yr ystafell molchi. Mi droais inna am y lolfa.

Roedd Nain yn eistedd o flaen y teledu a'i phen yn ei phlu.

'Iawn, Nain?' meddwn i'n bryderus.

'Mor iawn ag y bydda i tra arhosa i yn y tŷ 'ma,' medda hi'n siort. 'Mi fyddi ditha'n falch o weld fy nghefn i, mae'n siŵr.'

'Na fydda, siŵr, Nain,' meddwn i.

Ond rhaid imi gyfadda nad oeddwn i'n dweud yr hollol wir. Mi fuasai cael fy llofft fach annwyl odidog fy hun yn eiddo i mi unwaith eto yn nefoedd ar y ddaear 'ma.

Meddyliwch! Mi fuaswn yn cael chwarae fy recordiau a'u gadael nhw'n bentwr rywsut rywsut ar y gwely; mi fuaswn i'n cael fy mwrdd gwisgo i mi fy hun a chael gadael fy ngholur yn bentwr aflêr ar ei wyneb; mi fuaswn i'n cael tynnu fy nillad o'r wardrob a'u gwisgo a'u tynnu a'u hail-wisgo am oriau os mynnwn i, a fi fuasai piau yr ystafell i gyd. Fy mhethau i fuasai ynddi hi . . . a fuasai 'na ddim dannedd gosod siarc yn llechu ar wyneb y bwrdd bach wrth ochr y gwely chwaith.

'Hrmph!' medda Nain.

Swper go dawedog fu hi o ochr Mam a Dad. Os gwn i am be roedden nhw'n meddwl?

Mi ffoniodd Derec Wyn tua saith. Biti fy mod i ar frys gynnau, medda fo. Chafodd o ddim amser i drefnu ei bnawn rhydd hefo mi.

'Iawn,' meddwn i'n falch gan daflu'r ofnau am Mandy Webb i'r gwynt. 'Be wnawn ni?'

'Mi fuaswn i'n licio mynd i'r dre i brynu'r rhaglen gyfrifiadur 'na,' medda fo. 'Mae Mandy yn dweud ei bod yn un ardderchog.'

'O ia?' meddwn i'n reit ffwrbwt. 'A be wnawn ni wedyn?'

'Wel . . . roedd Mandy'n cynnig ein bod ni'n cyfarfod. Cael coffi hwyrach . . . a mynd adra i drio'r rhaglen wedyn.'

Wn i ddim sut y daru mi frathu nhafod a rhwystro'r ffrwydrad geiriol a gorddai o'm mewn rhag llosgi'r gwifrau. Ond llwyddo ddaru mi.

'Ia, mi gawn ni noson ardderchog,' meddwn i'n sych.

'Cawn, yn cawn,' medda Derec Wyn yn hapus. 'Ma Mandy'n hogan iawn yn tydi? Ac yn dallt cyfrifiaduron i'r dim!'

Sgyrnygu nannedd wnes i trwy weddill y gyda'r nos. *Siwgr gwyn!*

Dydd Iau, Awst 9fed.

Noson ddi-gwsg, cur yn fy mhen, babi'n crio a rhieni mewn tymer ddrwg! Oedd o'n werth imi godi?

'Dos â brecwast Nain iddi,' medda Mam cyn imi gyrraedd y gegin bron. 'Ma'i lle hi yn well na'i phresenoldeb.'

'Mam! . . . Ofnadwy . . . Sut medrwch chi ddweud hynna?' meddwn i wedi dychryn.

'Am fy mod i wedi cyrraedd pen fy nhennyn, Gwenno, dyna pam,' medda Mam gan daflu cipolwg milain i gyfeiriad Dad. 'A mae'n amser i rai pobl sylweddoli hynny.'

'Ia, ond Menai . . .' cychwynnodd Dad yn anniddig. 'Dydi o ddim yn hawdd . . .'

'Dydi o ddim yn hawdd ymdopi hefo Rhodri'n crio, plant swnllyd (mi agorais fy ngheg i wadu'r ffasiwn honiad), gwaith tŷ, a dy fam fel y diafol o nghwmpas i,' medda Mam yn fflamgoch. 'Rwyt ti o'ma trwy'r dydd, a dim yn gwybod faint rydw i'n 'i ddiodda.'

'Ond fedra i ddi . . .' medda Dad.

'Medri, mi fedri'n iawn,' medda Mam. 'Llwfr wyt ti, cymryd dy drin fel hogyn bach.'

'Ond mae hi'n *fam* imi.'

'Ac mi ydw inna'n *wraig* iti, yn tydw?'

Mi welwn ei bod hi'n poethi yn ffrae danllyd, ac mi sylweddolais ma'r peth gorau imi oedd cludo hambwrdd Nain i'r llofft a gadael i'r rhyfel cartref waethygu yn y gegin.

(Rydw i'n dechrau newid fy meddwl yng nghylch priodi Derec Wyn. Os mai peth fel hyn ydi priodas, waeth imi aros yn sengl ddim.)

'Roeddwn i *yn* codi,' medda Nain yn siort pan gyrhaeddais y llofft.

'Waeth ichi'i fwyta fo ddim wedi imi ddŵad â fo i fyny,' meddwn i.

'Na waeth, debyg,' meddai Nain yn reit anniolchgar. 'Mi roith gyfla iddyn nhw olchi nghrys i lawr y grisia.'

'Fedran nhw ddim, Nain,' mentrais. 'Rydach chi'n 'i wisgo fo.'

Sbïo fel sguthan ddaru hi am eiliad.

'Ia . . . wel . . . rwyt titha'n ddigon ffraeth dy dafod,' medda hi'n gyndyn.

Mae isio dewin i ddallt Nain, ond mi fydda i'n meddwl weithiau fy mod i wedi llwyddo.

Bore go bethma fu hi, hefo pawb yn reit ddistaw ei dafod. Ond mi ddaru'r babi godi'r to yn ôl ei arfer. Debyg gen i mai crio fydd o pan fydd o'n gant! Os na fydd rhywun wedi'i labyddio fo cyn hynny.

Mi helpais i gymaint ag a fedrwn i o gwmpas y tŷ drwy'r bore er mwyn sicrhau y byddai rhyddid imi fynd i gyfarfod Derec Wyn yn y pnawn.

Ochneidio ddaru Mam pan ddeudais i fy mod yn mynd, ond trwy ryw ryfedd ras ddaru hi ddim codi storm. Debyg ei bod hi wedi cael digon hefo Dad y bore 'ma.

Roedd Derec Wyn yn disgwyl amdana i wrth y cloc.

'Hiya, Gwenno,' medda fo a gafael yn dynn yn fy llaw. 'Ble'r awn ni gynta? Siop gyfrifiaduron?'

Ochneidio ddaru mi. Rydw i'n dechrau darganfod fod beiau'n perthyn i Derec Wyn, a'r un mwya ydi ei fod o wedi *gwirioni* ar gyfrifiaduron.

'Tyrd inni gerdded i fyny'r stryd gynta,' meddwn i. 'Rydw i eisio sbïo yn ffenest Sbectrwm.'

Mi edrychodd ar ei wats.

'Rydan ni'n cyfarfod Mandy am dri, cofia,' medda fo.

Mi suddodd fy nghalon i fy sgidiau. Rhywsut, roeddwn i wedi fy nghysuro fy hun efallai fod y trefniadau wedi'u newid . . . ei bod hi wedi ailfeddwl . . . neu fod ei thad wedi gorffen ac wedi allfudo am Awstralia . . . neu ei bod hi wedi syrthio i ryw dwll mawr mawr ac nad oedd neb wedi'i ddarganfod eto. Melys obeithion!

'Oes raid inni?'

Mi edrychodd Derec Wyn yn syn.

'Ond mi ddeudais i wrthyt ti neithiwr. Rydan ni wedi trefnu.'

'Y chdi a Mandy drefnodd. Ddim y fi.'

'O c'mon, Gwenno,' meddai. 'Paid â thynnu'n groes.'

Mi aethon ni i'r siop gyfrifiaduron, ac mi ddioddefais i'n ddelw tawedog tra oedd Derec Wyn yn trafod yn wybodus hefo'r dyn tu ôl i'r cownter. Fedrwn i ddim peidio â'i edmygu fo achos roedd o'n trafod yr un mor wybodus â'r dyn ei hun. Peth braf ydi bod yn beniog.

Erbyn inni ddŵad o'r siop roedd hi y nesa peth i dri o'r gloch, a doedd dim i'w wneud ond mynd i gyfarfod Mandy.

'Great to see you again,' medda Mandy'n felys gan afael yn dynn yn fy mraich. 'Where shall we go for coffee?'

Roeddwn i'n gwybod yn union sut y byddai hi . . . y fi'n gwsberan a Mandy a Derec Wyn yn siarad cyfrifiaduron nes byddwn i'n lloerig! Ac felly y bu hi, wrth gwrs!

Mi yfon ni'n coffi a chychwyn wedyn am dŷ Derec Wyn. Roeddwn i'n swp pwdlyd erbyn hynny.

'And *this* is Mandy,' medda mam Derec Wyn yn wên i gyd. (Mwy o wên na roes hi i mi rioed.) 'It's so nice to meet you, my dear. And your father as well. We met him at the Golf Club, you know.'

'Goodness gracious me,' meddwn i wrthyf fy hun. 'So nice to meet a *director*, of course. *Crachach*!'

Wn i ddim sut y daru mi ddiodda gweddill y pnawn. Snob yn seboni snob. Ond chwarae teg i Derec Wyn, mi ddaru drio fy nghynnwys i yn y siarad diddiwedd, ond rywsut doedd gan ei fam ddim llawer o ddiddordeb.

'Mi fydd yn rhaid imi fynd,' meddwn i wrth Derec Wyn. 'Eisio bod adra erbyn chwech.'

'Mi ddanfona i ti at y bws,' medda fo.

'Diolch ichi am eich croeso,' meddwn i wrth fam Derec Wyn. (Er nad oedd o ddim gwerth sôn amdano fo.)

'Iawn, Gwenno. Rydyn ni'n falch o'ch gweld chi bob amser,' medda hi yn reit ddidaro. 'You *will* stay, won't you, Mandy? Perhaps your father might like to join us for a meal tonight?'

'Daddy would love to, I'm sure,' medda Mandy.

'Hy!' meddwn i wrthyf fy hun. 'Os gwn i pam nad oes sôn am *Mrs* Webb?'

Mi gyrhaeddais adre ar ben chwech . . . yn union wrth gwt Dad.

'A ble busot ti mor hwyr?' meddai'n surbwch.

'Tŷ Derec Wyn, tê?' meddwn i.

'Fan'no eto?'

Does dim modd plesio teulu, yn nac oes?

Mi aeth Dad trwodd i'r lolfa at Nain.

'Mi ddoist, Myrddin,' medda honno'n ddigon pigog.

Sbïo arni am eiliad ddaru Dad cyn agor ei bapur a mwngial 'Do' o'r tu ôl iddo. Yna fe ddechreuodd y babi grio yn ei goets.

'Cod o wir, Gwenno,' medda Dad.

'Pwy? Y fi?' meddwn i'n hurt. 'Eisio bwyd ma fo.'

'Wel, bwyda fo, ta,' gorchmynnodd.

Wel, doeddwn i ddim ar ras i ufuddhau. Mam oedd ei fam o, tê? Ond gweiddi rhywbeth o'r gegin ddaru Mam, a dim dŵad trwodd.

'Wyt ti'n fy nghlywed i, Gwenno?' bygythiodd Dad.

'Mae babi eisio tendars ei fam,' medda Nain. 'Rydw i'n synnu atat ti, Myrddin. Yn swnian ar yr hogan fel'na.'

Mi aeth wyneb Dad yn bigog ddu.

'Ma'n amser i chithau roi'r gorau i fusnesu, Mam,' meddai'n danbaid. 'Mi fuasai'n haws byw yn y tŷ 'ma wedyn.'

'Dydw i'n dweud dim ond y gwir . . .'

'Busnesu.' Mi roes Dad ddyrnaid egr i fraich y gadair.

Mi ymroddodd y babi i grio fwyfwy wedi'r glec.

'Os mai fel'na mae'i dallt hi, mi bacia i fy mhethau rŵan,' medda Nain yn siort. 'A meddwl fod fy mab fy hun . . .'

Ac i ffwrdd â hi am y llofft.

'Ylwch be dach chi wedi'i wneud rŵan,' meddwn i'n wyllt. 'A sut ma Nain am wneud ar ei phen ei hun . . . a'r tŷ heb ei eirio na dim?'

Codi a mynd am y gegin heb ddweud gair ddaru Dad. I ddweud wrth Mam, debyg, meddyliais yn chwerw. Dwy frân o'r un lliw.

Mi fûm i ar gyfyng-gyngor prun ai dilyn Dad i'r gegin a thrio darbwyllo dipyn arno fo a Mam, ta mynd i'r llofft i gysuro Nain wnawn i, . . . ta trio tawelu ceg y babi. Ond carlamu i'r llofft ddaru mi a gadael y babi i grio.

Roedd Nain yn eistedd ar y gwely yn sbïo ar ddim.

'Nain,' meddwn i. 'Be dach chi'n 'i wneud?'

'Pendroni . . . a chofio, ysti,' medda hi mewn llais bach bach.

'Cofio be?' gofynnais.

'Cofio erstalwm . . . a dy dad yn fach. Trowsus cwta ganddo fo a'i wallt yn ei lygaid. Cofio dy daid yn ei ddysgu fo i reidio beic . . . a chofio sut y bydda fo'n licio teisen sinsir . . . ac yn dweud ei bader wrth fynd i'w wely . . .'

'Does neb yn gwneud hynny rŵan, Nain,' meddwn i.

'Mwya'r piti,' medda hi'n drymaidd. 'Mi fuasai gwell lle yn y byd 'ma tasa pobl yn cadw mwy at eu Beibl.'

Wel, doeddwn i ddim eisio croesi Nain, ond roeddwn i'n siŵr fod y Beibl yn eich gorchymyn chi i garu'ch gilydd a phethau felly . . . a doedd hi ddim yn caru Mam, yn nac oedd? Dim â hithau'n cael pleser mewn tynnu'n groes o hyd.

'Doedd Dad ddim yn ei feddwl o, ychi,' meddwn i.

Ochneidio ddaru Nain.

'Does 'na ddim lle i'r hen a'r ifanc hefo'i gilydd,' medda

hi. 'Dim pan ma pethau o chwith rhyngddyn nhw. Ond pwy fasa'n meddwl y buasa fy mab fy hun yn troi arna i . . .?'

A dyma hi'n codi ac yn dechrau agor drôrs a thynnu pethau allan.

Wel, mi fedrwn i weld ochr Dad . . . ac mi fedrwn i weld ochr Nain . . . ac mi fedrwn i weld ochr Mam hefyd.

'O c'mon Nain,' meddwn i'n galonnog. 'Mae pawb yn dweud pethau ma'n nhw'n 'i ddifaru. Mi fyddwch *chi* weithiau . . .'

Dyma hi'n troi ac yn edrych arna i.

'Rwyt tithau am ochri hefo nhw debyg . . . a dweud fy mod i'n busnesu?'

Wel, roeddwn i ar gyfyng-gyngor eto, ond mentro ddaru mi.

'Ond mi fyddwch weithiau, Nain, yn byddwch?'

Mi ddaliais fy ngwynt.

'Hrmph!' medda hi â rhyw wên fach gynnil yn ymledu tros ei hwyneb. 'Rwyt ti run ffunud â dy daid. Dweud dy feddwl.' Ochneidiodd. 'Harri druan. Roedd o'n ddwywaith gymaint o ddyn â dy dad, ysti.'

Er fy mod i'n gweld Dad fel hylif golchi llestri o feddal weithiau, doeddwn i ddim am gydnabod hynny wrth neb chwaith. Hyd yn oed wrth Nain.

'Ma Dad yn grêt,' meddwn i.

'Diolch, Gwenno,' medda llais o'r tu ôl imi.

'O . . . Dad,' meddwn i. 'Wyddwn i ddim eich bod chi yna.'

Mi roes Dad ei law ar f'ysgwydd i am eiliad.

'Dos i lawr i helpu dy fam, Gwenno,' medda fo. 'Rydw i eisio siarad hefo Nain.'

'Ond . . .'

'Rŵan hyn, Gwenno.'

Pan ma'r dinc yna yn llais Dad, dydi wiw dadlau. Mi droais ar fy sawdl, ond dim cyn imi wenu ar Nain a dweud,

'Iawn, Nain?'

'Ydw, Gwenno. Diolch, ngenath i,' medda hi'n reit feddal.

'Be ma Dad am ei wneud?' meddwn i cyn gynted ag y cyrhaeddais y gegin.

'Rhoi trefn ar betha,' medda Mam yn ffwrbwt. 'Ma'n hen bryd.'

'Ydach chi'n anfon Nain o'ma?' Roedd 'na lwmp od yn fy ngwddf fel y gofynnais.

'Fedrwn ni ddim mynd ymlaen fel hyn. Dim â Rhodri'n fabi mor gwynfanllyd, a chi'r plant a'r tŷ 'ma a phopeth. Fedra i ddim dal. Yr Ymwelydd Iechyd yn dweud fod yn rhaid imi gael llonyddwch hefo fy mabi. Tawelwch a neb yn ymyrryd.'

'Wfft!' meddwn i wrthyf fy hun. (Run farn â Nain) 'Be ma honno'n ei wybod?'

Ond ddeudais i ddim byd yn uchel.

Mi ddaeth Dad a Nain i lawr y grisiau mhen hir a hwyr.

'Mae Nain am fynd adra ddiwedd yr wythnos. Ac mi gei di fynd hefo hi am weddill y gwyliau, Gwenno,' medda Dad.

Roedd sioc wedi fy nharo'n fud am eiliad. Ond dim ond am eiliad.

'Ylwch, fedra i ddim,' meddwn i gan deimlo fel pe buaswn i'n ymaflyd mewn gwelltyn ar ddyfroedd tymhestlog. 'Ma joban dydd Sadwrn gen i.'

'Mi ffonia i Mr Hughes,' medda Dad.

'Ond . . .'

'Mae popeth wedi'i drefnu rhwng Nain a minna,' medda Dad.

'Does dim rhaid i'r hogan ddŵad os nad ydi hi eisio,' medda Nain yn gadarn.

Mi agorais fy ngheg i ddweud 'Wel, dyna fo, ta,' . . . yna mi'i caeais hi drachefn. Fedrwn i ddim gwrthod â Nain yn

88

edrych arna i gan smalio nad oedd ots ganddi. Gwenu'n wantan ddaru mi.

'Na, mi a i wrth gwrs,' meddwn i.

Ond beth am Derec Wyn . . . a Mandy Webb?

Dydd Gwener, Awst 10fed.

Dydd Sul ma Nain yn mynd. Does gen i ond dau ddiwrnod yng nghwmni Derec Wyn eto. Mi ffoniais Siw.

'Be? Mynd am *dair* wythnos?' sgrechiodd honno pan ddeudais wrthi. 'Ond fedri di ddim. Dim hefo Mandy o gwmpas y lle 'ma.'

'Be fedra i'i wneud, tê? Ma Dad yn bendant. A fedra i ddim gadael i Nain fynd ar ei phen ei hun.'

'Wel, smonach o benderfyniad,' medda Siw. 'Ydi Derec Wyn yn gwybod?'

'Am fynd i ddweud wrtho fo pnawn 'ma.'

'Mi ddo i hefo ti,' medda Siw. 'Mi ddo i draw i weld Rhodri, ac mi gawn ni fynd wedyn.'

Doeddwn i ddim yn siŵr iawn a fedrwn i ddiodda'i chlywed hi'n 'tshwc a tshwc a dwdwio' uwchben y babi. Dim â finnau ar dân eisio mynd i weld Derec Wyn a thorri'r newydd drwg iddo fo.

'Mae o'n grêt,' medda Siw gan ei chrogi'i hun yn edmygol uwchben coets y babi. 'Ac wedi tyfu! Debyg i ti, Gwenno.'

'I mi? Dim ffeiars,' meddwn i'n chwyrn. 'Dydi o'n gwneud dim ond crio.'

'Crio ma babis,' medda Siw.

'Ddim fel hwn,' meddwn i'n gadarn. 'Byth yn cau'i geg.'

'Rhag cywilydd iti,' medda Siw. 'Ydi Gwenno Jôs yn cwyno am fod tshwci bach yn crio, ydi? Hen Gwenno gas, yntê?'

'Tyrd,' meddwn i'n reit fyr fy nhymer. 'Neu mi fydd yn dechrau arni eto.'

Mi gyrhaeddon ni Tesco tua dau.

'Fydd Derec Wyn yn y siop?' holodd Siw. 'Fydd y rheolwr yn dweud y drefn wrtho fo am siarad hefo ni?'

'Wn im.' Mi estynnais fasged.

'Be rwyt ti eisio honna?' medda Siw yn hurt.

'I ddangos ewyllys da, tê,' meddwn i. 'Ella y pryna i far siocled neu rywbeth.'

Mi gerddon ni i fyny un llwybr ac i lawr un arall heb weld golwg ohono fo. Yna, pan droeson ni i'r drydedd res, dyna lle roedd o yn llenwi silffoedd.

'Hiya, Derec Wyn!' meddai Siw. 'Brysur, ngwas del i?'

'Hiya,' meddai Derec Wyn gan wenu'n ddel arna i.

'Mae gin Gwenno newydd drwg iti,' medda Siw.

'Be?'

'Gorfod mynd i aros hefo Nain,' meddwn i. 'Am dair wythnos. Mynd dydd Sul.'

'Rioed!' medda fo'n syn. 'Hidia befo, mi ddo i yna i dy weld ti.'

'Wnei di wir?' Roedd fel pe buasai rhywun wedi dangos enfys imi.

'Dof, siŵr,' medda fo.

'Beth am heno, ta?' meddwn i. 'Wnawn ni gyfarfod?'

'Y-mm!' medda Derec Wyn a gwrido braidd.

'Mi awn ni i'r pwll nofio,' meddwn i. 'A'r caffi wedyn. Beth amdanat ti a Prysor, Siw? Ddowch chi?'

'Grêt!' medda Siw.

'Ymm . . . wn i ddim fedra i ddŵad,' medda Derec Wyn yn annifyr braidd.

'Rhywle arall, ta?' meddwn i gan feddwl nad oedd blys nofio arno fo.

'Wel . . .' medda Derec Wyn.

'Hiya, girls,' meddai llais sydyn o'r tu ôl inni.

Mandy! Be roedd honno yn ei wneud o gwmpas Derec Wyn o hyd?

'Hello,' medda Siw a minnau'n reit anfodlon.

'Oh . . . I had a great time last night,' medda Mandy. 'We used the computer till all hours, didn't we, Derec?'

Mi gnodd eiddigedd o gwmpas fy stumog i'n syth. Roeddwn i'n gwybod fod cyfrifiadur Derec Wyn yn ei lofft.

'Where's your boy friend?' gofynnais yn ffwrbwt. 'Jason, wasn't it?'

'Jason and I are no longer seeing each other,' medda Mandy. A dyna hi'n troi oddi wrthyn ni ac yn sbïo ar Derec Wyn. 'I'll see you tonight, Derec. Your mother has invited us again.'

'Yes,' medda Derec Wyn a'i wyneb yn dechrau fflamio.

'Mam wedi gofyn iddi hi a'i thad ddŵad am bryd heno eto,' medda fo'n gloff. 'Fedra i ddim dŵad allan, ysti. Sori.'

Sori! Doedd bod yn 'sori' yn dda i ddim. Os oedd yn well ganddo gwmni Mandy na fy nghwmni i, wel dyna fo ta, tê?

'O, dydi ddim ots,' meddwn i. 'Mae gen i ddigon i'w wneud. Pacio, tê? Tyrd, Siw.'

Ac mi droais ar fy sawdl cyn iddo fo weld fod fy llygaid yn llawn dagrau. Dagrau tymer a dagrau gofid.

'Pam na fuaset ti'n dweud wrtho fo ble i fynd?' holodd Siw yn eirias. 'Os ydi gwahoddiad ei fam i Mandy Webb a'i thad yn bwysicach na dy weld di . . .'

'Dydw i ddim am erfyn arno fo,' meddwn i a sŵn crio mawr yn fy llais.

'Hwda'r hances 'ma,' cysurodd Siw. 'Hidia befo. Mi ddaw o ar d'ôl di cyn yr ei di ar ei ôl o. Ma digon o bysgod yn y môr.'

Mi edrychais yn hurt arni.

'Be sy a wnelo *pysgod* â'r peth?'

'Wel, dyna ma pobl yn ei ddweud pan fydd carwriaeth yn gorffen, tê?'

Mi ddechreuais i sniffian yn ddigalon.

'Ond dydw i ddim wedi gorffen hefo Derec Wyn. Dydw i ddim eisio.'

'A fynta wedi dy drin di fel'na?'

'Doedd ganddo mo'r help, yn nac oedd? Bod yn gwrtais roedd o.'

'Hy!' medda Siw.

Ond er fy mod i'n trio esgusodi Derec Wyn, roeddwn i wedi fy mrifo i'r byw. Mi driodd Siw ei gorau i godi nghalon.

'Yli, mi awn ni am hambyrgyr rôl i Wimpy, a cherdded siopau wedyn.'

Cytuno ddaru mi, er fy mod i'n teimlo fel mynd adra i lyfu nghlwyfau. Ond sut medr rhywun wneud hynny ar wely'r landin? Cau drws fy llofft a fy moddi fy hun mewn dagrau roeddwn i eisio'i wneud. A hynny mewn llonyddwch.

'Wnei di gadw llygad arno fo tra bydda i o'ma?' gofynnais yn dorcalonnus. 'Ac ar Mandy Webb hefyd?'

'Gwnaf siŵr,' addawodd Siw. 'Ac mi ro i bynctiar yn ei holwyn hi hefyd, mi gei di weld. Dydi hi ddim am gael dwyn Derec Wyn oddi arnat ti. Mi ofala i am hynny.'

Roeddwn i wedi codi nghalon dipyn bach erbyn imi gyrraedd adre. Efallai y byddai Derec Wyn wedi blino ar Saesneg di-ben-draw Mandy Webb ac y ffoniai'n ddiweddarach.

Am gyda'r nos diflas! Nain yn ochneidio bob yn hyn a hyn, Dad yn cuddio tu ôl i'w bapur, Mam yn loetran yn y gegin, Llŷr a'i drwyn yn y teledu, y babi'n crio, wrth gwrs . . . a Gwenno Jones yn disgwyl a disgwyl am i'r ffôn ganu ac yn dychmygu Derec Wyn a Mandy drwyn yn drwyn uwchben y cyfrifiadur.

Efallai eu bod nhw'n eistedd wrth ochrau'i gilydd . . . efallai fod Derec Wyn yn rhoi'i fraich amdani . . . yn ei thynnu ato . . . yn ei *chusanu*! Fedrwn i ddim diodda'r pictiwr dychmygol.

92

'Rydw i am fynd am fath,' meddwn i.

'Iawn,' medda Mam heb gymaint â chodi'i phen oddi wrth y sinc.

Mi ddringais y grisiau yn swp o hunandosturi. Doedd dim ots gan neb amdana i. Dim ots ganddyn nhw fy mod i bron â thorri nghalon yn eu canol nhw . . . a run ohonyn nhw wedi sylwi.

'Ble ma dy hunan-barch di, Gwenno Jones?' meddwn i wrthyf fy hun fel y cyrhaeddais ben y grisiau. 'Bydd yn gryf a phendant. Dangos i bawb nad ydi ots gen ti.'

Yna mi gofiais eiriau Siw pan oedd hi'n sôn am addunedau'r flwyddyn newydd. Chwilio am brofiadau newydd, dyna a dywedodd hi . . . wel, roeddwn i'n mynd i gael y rheiny, yn doeddwn? Byw hefo Nain! Newid pethau . . . roedd Mandy Webb wedi gwneud hynny drosta i. Newid ein hunain . . . roeddwn i am anghofio Derec Wyn. Croeso i Mandy Webb arno fo!

Mi arllwysais ddŵr i'r bath a rhoi dyrnaid reit dda o hylif arogl pîn ynddo hefyd . . . digon i gael ewyn chwe modfedd o drwch ar yr wyneb. Yna, mi es i chwilio am fy addunedau.

Mi fu'n rhaid imi chwilota am beth amser, achos doeddwn i ddim yn siŵr iawn ble roedden nhw. Ond mi'u cefais i nhw o'r diwedd.

'Reit,' meddwn i wrthyf fy hun. 'Mi rydw i am socian am *oriau* yn y bath, ac am groesi enw Derec Wyn oddi ar fy addunedau.'

Ond prin roeddwn i wedi fy ngollwng fy hun i'r dŵr nad oedd Llŷr yn dobio ar y drws ac yn gweiddi,

'Gwenno, rydw i eisio pi-pi.'

'*Siwgr gwyn!*' meddwn i wrthyf fy hun. 'Chaiff rhywun ddim hyd yn oed bum munud i newid ei addunedau yn y lle 'ma.'

'Rho gwlwm ynddi hi,' gwaeddais.

'Gwenno! Mi ddeuda i wrth Mam.'

'Achwyn, ta. Dim ots gen i.'

'Ond rydw i jest â byrstio eisio gwneud. Gwenno!'

A dyma fo'n dechrau dobio wedyn.

Ac wrth gwrs, mi redodd Mam i fyny'r grisiau a dechrau dwrdio am y gweiddi a'r dobio a'r gwrthod agor y drws, a bygwth be fuasai'n digwydd inni os deffroai'r babi.

'Agor y drws 'na ar unwaith, Gwenno,' meddai.

'Ond dydw i ddim ond newydd fynd i'r bath.'

'Agor i Llŷr gael defnyddio'r toiled. Mi gei fynd yn ôl wedyn.'

'Ond mi fydd y dŵr wedi oeri . . .'

'Agor o, Gwenno.'

'O! Fflamio'n gorn!' meddwn i o dan fy ngwynt.

Mi godais a lapio'r tywel mawr amdana ac agor y drws.

'Hen bryd,' medda Mam a diflannu'n stormus i lawr y grisiau.

'Brysia, ta,' meddwn i wrth Llŷr yn chwyrn.

'Dos di o'ma. Dydw i ddim eisio iti sbïo.'

Mi gaeais fy llygaid a chyfrif i ddeg.

'Paid â chymryd trwy'r dydd, ta,' meddwn i.

'Rydw i eisio llnau fy nannedd hefyd.'

'LLŶR!' bygythiais.

'Ma Miss Owen wedi dweud wrthyn ni am eu llnau nhw ar ôl pob pryd.'

Roedd ôl fy nhraed glwybion ar garped y landin a'r diferion oeraidd yn llifo'n araf o dan y tywel.

'Brysia'r cranci,' sgyrnygais gan geisio fy sychu fy hun heb ddatod y tywel.

Mi ddaeth allan o'r diwedd.

'Ma dy bapurau di wedi disgyn i'r bath.'

'Be? Fy addunedau i? Trio wnest ti, tê? Trio'u taflu nhw i mewn. Aros di i mi gael gafael arnat ti.'

'Mam! Ma Gwenno yn fy mygwth i,' gwaeddodd.

'O dos i ganu!' meddwn i'n wyllt a diflannu i'r ystafell molchi a rhoi andros o glep i'r drws.

Mi balfalais yn y bath i geisio achub fy addunedau, ond fedrwn i deimlo dim wrth symud fy nwylo o dan y dŵr.

'Ble gebyst maen nhw?' meddwn i wrthyf fy hun.

Yna mi ddigwyddais sbïo ar y silff fach uwch y basn molchi, a dyna lle roedden nhw'n rholyn.

'Y cena bach. Dweud celwydd,' sgyrnygais.

Mi aileisteddais yn y bath a'm tu mewn yn berwi. Doeddwn i ddim am agor y drws i neb eto, hyd yn oed petasen nhw'n diodda o'r bîb waethaf. Na, mi roeddwn i, Gwenno Jones, am led-orwedd o dan y dŵr ac am ystyried fy addunedau a'm dyfodol. *Ac mi roedd arna i angen llonyddwch perffaith!*

Mi agorais y papur a dechrau darllen.

Penderfyniadau Gwenno Jones, pedair ar ddeg oed ond deufis, sydd yn ei llawn bwyll a'i synhwyrau arferol . . . ac a sgrifennwyd ganddi hi ei hun am 10.30 o'r gloch y bore, ar y cyntaf o Ionawr, ar ddechrau blwyddyn dyngedfennol yn ei bywyd.

1) Rydw i am garu Derec Wyn tra bydda i byw. *Dim ffeiars ac yntau'n fy nhrin i fel y mae o!*

2) Rydw i am weithio'n galetach yn yr ysgol . . . am fod digon ym mhen Derec Wyn a dydw i ddim eisio ymddangos yn dwp. *Dydi affliw o ots gen i pa mor dwp fydda i bellach. Na, howld on, rydw i am weithio fy hun i fyny yn y byd . . . am lwyddo mewn arholiadau a dŵad yn rhywun pwysig. Wfft i Derec Wyn!'*

3) Rydw i am fynd i weld Nain Tawelfa'n amlach, er ei bod hi'n grintachlyd ac yn finiog ei thafod. *Dim angen mynd yn amlach. Rydw i am FYW hefo hi am dair wythnos!*

4) Wna i ddim ffraeo hefo Llŷr . . . hynny ydi os byhafith o a pheidio â thynnu'n groes. *Ŵyr Llŷr ddim sut ma byhafio!*

5) Rydw i am ymdrechu i guddio'n niflastod hefo'r babi newydd. *Methiant llwyr!*

95

6) Rydw i am gofio am bobl newynog y byd . . . ac am wneud rhywbeth, wn i ddim be eto. *Mae cywilydd imi. Rydw i wedi bod yn rhy brysur ac wedi anghofio!*

7) Rydw i am lanhau fy llofft bob wythnos . . . ac am gadw fy nillad yn dwt yn y wardrob. *Sgin i ddim llofft i'w chadw'n dwt. Dim ond landin.*

8) Rydw i am gadw'n heini a byw yn iach . . . er mwyn Derec Wyn a'r sgert ddu! *Dydw i ddim wedi gweld y sgert ddu honno ers y parti Nadolig, ond mae sgifi'n siŵr o gadw'n heini!*

9) Rydw i (fedra i ddim peidio â'm hailadrodd fy hun) am garu Derec Wyn tra bydda i byw. *Rydw i wedi newid fy meddwl!*

Do. Wedi newid fy meddwl. Wedi troi fy nghefn ar gariad. BE ARALL WNA I A MINNAU WEDI FY MRADYCHU?

Dydd Sadwrn, Awst 11eg.

Mae'r bobl drws nesa wedi eirio Tawelfa'n barod inni. Does 'na ddim troi'n ôl. Mi fydda i yno fel huddyg i botas yfory.

'Dydi fawr o ots gen ti am brysurdeb, yn nac ydi?' grwgnachodd Wil Siop Magi. 'Ac mi rwyt ti'n disgwyl cael dy joban yn ôl debyg pan ddoi di adra?'

'Fyny i chi,' meddwn i er fy mod i'n gobeithio'i chael hi. Mae'n dda cael yr arian!

'Mi gawn ni weld, tê?' medda fo. 'Ond iti beidio ag anghofio amdana i tra byddi di i ffwrdd,' gan estyn ei fraich am fy nghanol.

Mi symudais inna'n reit sgut o'i ffordd o.

'Fedr neb anghofio bwgan,' meddwn i o dan fy ngwynt.

Mi dreuliais y pnawn yn y dre hefo Siw, ond aethon ni ddim yn agos i Tesco.

'Be wnei di heno?' gofynnodd Siw yn bryderus. 'Ddoi di i'r pictiwrs hefo Prysor a fi. Ffilm dda.'

'Dydw i ddim eisio bod yn gwsberan,' meddwn i'n ffurfiol.

'Be 'di cwsberan rhwng ffrindia,' medda Siw. 'Fydd dim ots gan Prysor.'

Gwanhau ddaru mi. Doeddwn i ddim yn ffansïo treulio nos Sadwrn gartre. Heblaw hynny, er imi newid fy addunedau, roeddwn i'n rhyw hanner gobeithio y gwelwn i Derec Wyn. Doedd o rioed am fy anghofio fi, yn nac oedd?

'Dyna ti, ta', medda Siw'n gyffyrddus gan afael yn fy mraich a rhoi ras drot i lawr y stryd. 'Mi fyddi'n siŵr o dy fwynhau dy hun.'

'Byth!' medda llais bach rywle yn fy mhen. 'Dim heb Derec Wyn.'

'O'r nefi!' medda Siw yn sydyn. 'Yli pwy sy'n dŵad.'

Mandy Webb! Mae honna fel rhyw ddrychiolaeth yn hofran o gwmpas rhywun o hyd. Fedra i ddim rhoi fy nhrwyn trwy'r drws heb 'i daro fo ynddi. Sguthan!

'So glad to see you,' medda hi'n wên i gyd. 'Doing anything special?'

'No,' medden ni ein dwy'n ffwrbwt.

'You don't mind if I come with you? I thought I might see Gwen, but I expect she's gone to see Gwawr. At Aber.'

A dyma hi'n gafael yn fy mraich fel petaswn i'n ffrind pennaf.

Yn rhyfedd, doedd fymryn o ots gen i petasai'r byd i gyd yn clywed am Aber a'r lladrad a'r strach noethlymun. Roedd o'n perthyn i fywyd arall rywsut.

'Are you seeing Derec tonight?' gofynnodd. 'He *is* a nice boy, isn't he? You're lucky, Gwenno.'

Be oedd hi'n 'i drio'i wneud? Taflu llwch i'm llygaid i?

'You seem to think so,' meddwn i'n sych.

'Oh! . . .' Agorodd Mandy ei llygaid yn fawr. 'Gwenno, *you're* not *jealous* are you? Not of me?'

'Of course not,' meddwn i. 'He can do as he likes.'

Giglan ddaru hi ac ysgwyd ei hamrannau'n ddeniadol.

'Duw, anwybydda hi,' medda Siw.

Ond roedd rhyw ddiafol penstiff wedi gafael yndda i.

'You're welcome to him,' meddwn i. 'I couldn't care less.'

A dyma fi'n ysgwyd fy mraich yn rhydd ac i ffwrdd â mi fel cath i gythraul i lawr y stryd.

'Bye!' medda Siw a'i gadael hi'n geg agored ar y palmant.

'Pam ddeudaist ti beth fel'na?' holodd Siw. 'Ei roi o ar blât iddi hi.'

'Ddaru fo ddim ffonio neithiwr, na trefnu i ngweld i heno na dim. A finna'n mynd hefo Nain fory. A mae hynny *gilometrau* o'ma. *Dydi ddim ots ganddo fo, Siw.*'

Roeddwn i bron ag igian crio erbyn hyn. Ac wrth fy ngweld i mewn ffasiwn gyflwr, doedd gan Siw ddim pellach i'w ddweud ar y pwnc chwaith.

'Waeth iti heb â mynd adra,' medda hi o'r diwedd. 'Ffonia dy fam o'n tŷ ni.'

'Ond be tasa Derec Wyn yn ffonio,' meddwn i rhwng igiadau.

'Wel, mi gana i gloch yr eglwys!' rhyfeddodd Siw. 'Mynd ta dŵad wyt ti?'

'Ond be tasa fo?'

'Rwyt ti newydd ddweud "Couldn't care less" wrth Mandy a dyma ti'n pididroi rŵan.'

'O . . . dydw i ddim yn gwybod be i'w wneud,' meddwn i'n dorcalonnus.

Ond mynd adre ddaru mi a gaddo cyfarfod Siw a Prysor yn y dre yn ddigon buan i fynd i'r pictiwrs.

Mi ffoniodd Derec Wyn wedi i'r siop gau.

'Gwenno,' medda fo. 'Sori imi fethu â ffonio neithiwr. Mandy a'i thad yn aros yn hwyr.'

O . . . ia,' meddwn i.

'Yli . . . be wnawn ni heno?'

'Rydw i'n mynd i'r pictiwrs hefo Siw a Prysor.'

'O . . . grêt,' medda fo. 'Ffilm dda. Roedd Mandy'n sôn amdani neithiwr. Yli . . . ma'n rhaid imi ddŵad â hi heno, Gwenno. Mam wedi fy rhoi mewn twll. Dweud wrth Mandy y buaswn i'n gwmpeini iddi hi tra bydd hi yma.'

'O . . . ia,' meddwn i eto.

'Be sy arnat ti, dywed? Fedri di ddweud dim byd ond "O . . . ia" fel poli-parot o hyd? Yli, mi wela i di yn y pictiwrs. Iawn?'

A chyn imi gael amser i ffrwydro, roedd o wedi rhoi'r ffôn i lawr. Digywilydd. Meddwl fy mod i am gymryd fy nhrin fel pric-pwdin!

Wel, ddeudais i ddim byd pan gyrhaeddon ni'r pictiwrs a gweld Derec Wyn a Mandy yn disgwyl wrthyn ni y tu allan, er bod Siw wedi dadlau a dadlau ers pan ddywedais i wrthi yn y dre. Ond mi roeddwn i'n fflamgoch tu mewn.

Mi afaelodd Derec Wyn yn fy llaw wrth wylio'r ffilm, ond rywsut doedd y teimlad cariadus ddim yna, a'r cwbl fedrwn i feddwl amdano oedd y byddai Mandy yn cael ei chrafangau ynddo fo . . . tra byddwn innau yn nhŷ Nain am wythnosau.

Wn i ddim pam roeddwn i'n poeni chwaith, a finnau wedi mynd ar fy llw nad oedd ots gen i!

Dydd Sul, Awst 12fed.

Mae'r diwrnod mawr wedi cyrraedd! Diwrnod mudo Nain. A mudo Gwenno druan hefyd.

'Cod,' medda Mam cyn imi gael amser i agor fy llygaid bron. 'Ma gen ti waith pacio.'

'Dydw i ddim am fynd â dim jest hefo mi,' meddwn i'n rwgnachlyd. 'Be di'r iws, tê? Wela i neb, na gwneud dim.'

'Dydw i ddim am iddyn nhw dybio mai hogan o gartre bethma wyt ti,' medda Mam. 'Mi gei fynd â dy ddillad gorau . . . a gad yr hen jîns bratiog 'na ar ôl. Wyt ti'n dallt?'

'Pa *nhw* ydach chi'n sôn amdanyn nhw?' holais. 'Pawb yn drigain a throsodd, hyd y gwela i. Mi fydda i wedi *syrffedu!*'

Mi godais yn reit anfodlon a dilyn Mam i lawr y grisiau.

'Fedra i ddim pacio nes y bydd Nain wedi codi,' meddwn i. 'Tasa waeth imi gael awr arall yn fy ngwely ddim.'

'Mi gei helpu i lawr 'ma ta,' medda Mam yn galon galed.

Dew! Dydi bywyd yn ddim ond helpu yn y tŷ 'ma.

'Dos â brecwast Nain iddi,' medda hi gan baratoi'r hambwrdd.

Mae golwg ddigon fflons ar Mam y bore 'ma. Gwybod mai bore diwethaf Nain ydi o, debyg. Wn i ddim pam na fedr pawb fyw yn gytûn chwaith. Dydi Nain ddim mor ddrwg â hynny. Ond, dyna fo, does dim babi gen i, yn nac oes, a nain yn mynnu fy nysgu sut i'w fagu!

Mi gludais yr hambwrdd i'r llofft.

'Brecwast, Nain!' meddwn i mewn llais codwch eich calon.

'Ia . . . wel, sgin i ddim llawer o stumog,' medda Nain yn wantan. 'Hen boen 'ma'n cnoi o gwmpas fy sennau eto.'

'Gymrwch chi Asprin?' gofynnais.

Ysgwyd ei phen ddaru Nain.

'Wnaiff run Asprin wella poen calon, ysti,' medda hi.

Ew! Ma Nain wrth ei bodd yn chwarae ar deimladau rhywun hefyd. Mae'n dda fy mod i'n ei hadnabod hi.

'Mi fyddwch yn rêl boi pan ewch chi adra,' meddwn i'n galonogol. 'Ac mi welwch eich ffrindiau i gyd.'

'Rheiny!' medda Nain. 'Maen nhw cyn hyned â minna . . . ond bod eu teuluoedd nhw'n poeni mwy amdanyn nhw. Na, waeth imi farw ddim. Does ar neb fy eisio i.'

Mi fentrais wenu'n harti arni.

'Dydach chi ddim yn barod i farw eto, Nain,' meddwn i. 'Dim â finna'n dŵad atoch chi am dair wythnos! Dydach chi ddim eisio fy siomi, yn nac oes?'

Wel, mi fedrwn weld ei bod hi'n ymladd yn galed hefo hi ei hun, ac mi ddaliais fy anadl bron hyd ffrywdro!

Mi sbïodd arna i fel pe buasai hi am neidio i lawr fy nghorn gwddf am eiliad, yna mi ymledodd gwên gynnil yn araf bach bach tros ei hwyneb.

'Dos o'ma hefo dy wamalu,' meddai. 'Rwyt ti run ffunud â dy daid druan.'

(Hwrê! Rydw i wedi dallt yn union sut ma trin Nain.)

Mi droais a chychwyn i lawr y grisiau.

'Estyn fy nannadd gosod cyn iti fynd,' medda hi. 'Ma'n well imi drio'i orfodi fo i lawr. Er y bydd pob tamaid yn wenwyn pur yn fy ngheg i.'

Mi'u hestynnais nhw iddi er bod fy stumog yn ddaeargryn symudol wrth eu cyffwrdd nhw, ac yn waeth daeargryn wrth ei gweld hi'n eu stwffio nhw i'w cheg.

'Mynd rŵan, Nain,' meddwn i'n frysiog. (Roedd yn rhaid imi feddwl am geisio mwynhau fy mrecwast fy hun, yn doedd?)

Mi aeth y bore fel y gwynt erbyn imi bacio a chasglu tipyn o bethau angenrheidiol i fynd hefo mi. Fy nillad gorau yn ôl gorchymyn Mam, ychydig o lyfrau a'r cylchgronau diweddaraf . . . fy jîns hen yng ngwaelod y ces rhag i Mam eu gweld . . . a fy addunedau. Wn i ddim pam y rhois i'r rheiny i mewn chwaith!

'Hwda, Gwenno,' medda Dad gan estyn papur decpunt imi. 'Paid â meddwl nad ydyn ni'n gwerthfawrogi beth rwyt ti'n ei wneud. Mi roith amsar i Nain ailgartrefu yn ei thŷ, ysti. Ac mi wyddost nad oedd pethau ddim yn gant y cant rhwng dy fam a hithau.'

Arian cydwybod! A beth petasai pethau ddim yn gant y cant rhwng Nain a minnau wedi tair wythnos yng nghwmni ein gilydd? Ond mi gymerais yr arian run fath. Mae pob gwas yn deilwng o'i gyflog, yn tydi? A rhai yn fwy teilwng na'i gilydd hefyd!

'Mi ddo i draw ddechrau'r wythnos,' medda Dad. 'A chofia dithau ffonio os bydd rhywbeth yn dy boeni di.'

Mi ffoniais Siw y peth diwethaf cyn mynd.

'Cychwyn rŵan,' meddwn i yn reit dorcalonnus. 'A ches i ddim gair gan Derec Wyn.'

'Hidia befo,' cysurodd Siw. 'Cofia am y pysgod 'na.'

'Pysgod?'

'Rheiny sy yn y môr, tê?'

Fedrwn i ddim peidio â chwerthin er bod fy nghalon i bron â thorri.

'Wnei di adael imi wybod be sy'n digwydd?'

'Gwnaf siŵr, yr het. Ac yli, mi ddo i draw ar y bws i dy weld ti hefyd.'

'Grêt! Wythnos yma?'

'Iawn. ta. Yr wythnos yma. Cyn gynted ag y bydd gen i rywbeth i'w ddweud.'

Roedd y car y tu allan i'r drws a'r bagiau i mewn ynddo'n barod.

'Diolch am fy lle i,' medda Nain rhwng ei dannedd.

'Ia . . . wel, diolch am eich help chitha tra oeddwn i yn yr ysbyty,' medda Mam yn llipa.

Mi blygodd Nain tros y goets.

'A gobeithio y bydd y peth bach yn cael chwarae teg wedi i'w nain o fynd,' medda hi'n gariadus uwch ei ben.

'Mi awn ni,' medda Dad yn frysiog wrth weld ceg Mam yn dechrau miniogi.

A dyma fo'n gafael ym mraich Nain ac yn ei hebrwng am y drws.

'A phaid tithau ag anghofio am dy nain, ngwas i,' medda hi wedyn gan aros o flaen Llŷr.

'Dowch, Mam. Ma'r injian yn rhedeg,' medda Dad ar dân eisio cychwyn.

'Ia, tyrd, Myddin,' medda hi'n siort. 'Mae'n hen bryd inni gychwyn am le yr ydw i'n sicr o fy nghroeso. Fy aelwyd fy hun.'

Mi rois i sws i Mam.

'Os ffonith Derec Wyn, deudwch fy mod i wedi mynd,' meddwn i.

'Ia, ôl reit,' atebodd Mam heb fawr o ddiddordeb.

Ia, ôl reit! Fedrai hi ddim gweld fod fy nghalon i'n ddarnau? Mi fu bron imi ag eistedd ar lawr a rhoi llawn ryddid i fy nheimladau mewn sterics go iawn, ond beth oedd yr iws? Dydi rhieni'n gweld dim pellach na'u trwyn.

Mi droais at Llŷr.

'Byhafia dy hun tra y bydda i o'ma,' rhybuddiais. 'A phaid â chyffwrdd yn fy chwaraewr recordiau, neu mi labyddia i di.'

Gwneud stumiau'n feiddgar ddaru Llŷr. Mi fu bron imi â rhoi pinsiad reit egr iddo fo mewn atebiad, ond mi ailgysidrais. Roeddwn i'n ormod o ferch ifanc i'm gostwng fy hun i ymateb felly. Ond cael a chael fu hi hefyd!

'Hrmph!' medda Nain wedi inni gyrraedd Tawelfa a hithau'n gweld y mwg yn byrlymu o'r simnai. 'Ma 'na fwg croeso yma, beth bynnag. Chwara teg i rai pobl. Ma Mr a Mrs Wilias yn gymdogion da.'

Roedd andros o dân yn y grât, y bwrdd bach wedi'i osod a phlatiad o sgons ffres a phot jam coch yn ein disgwyl.

'Hrmph!' medda Nain eto. 'Mi gymri lymaid o de, debyg, Myrddin, ta wyt ti ar ormod o frys?'

'Cymraf siŵr, Mam,' medda Dad yn anniddig.

Ond mi fedrwn i weld ar ei wyneb ei fod o'n dyheu am ddianc oddi wrth dafod pigog Nain.

'Mi ferwa i'r tecell,' meddwn i. 'Steddwch chi, Nain.'

'Ia, diolch, ngenath i,' medda hi gan wneud sioe o'i gostwng ei hun i'r gadair a'i llaw ar ei hochr.

Wel, fu Dad fawr o dro yn llyncu ei baned a'i sgon cyn ffarwelio a dychwelyd am adre. Mi deimlais i'n reit bethma wrth ei weld yn mynd fel pe buasai o'n falch o gael ei draed yn rhydd. Doedd dim ots ganddo fo y byddwn i ar fy mhen fy hun hefo Nain am *dair* wythnos . . . a doedd o'n

103

poeni dim am fy mywyd personol i, am fy joban fore Sadwrn ac am fy mod i'n colli fy ffrindiau, nac am y byddai Llŷr wedi busnesu hefo fy chwaraewr recordiau ac wedi'i falu'n rhacs efallai . . . nac am fy mod i wedi gorfod gadael y maes yn glir i Mandy Webb ddwyn Derec Wyn oddi arna i. Mi fuaswn i'n medru sgrechian! A beth oeddwn i am ei wneud yma hefo Nain? Mi fyddwn i'n lloerig o ddiflas!

Mi eisteddon ni o bobtu'r tân a sbïo ar ein gilydd ar ôl te.

'Hrmph!' medda Nain, 'mi fydd raid inni chwilio am rywbeth iti'i wneud am dair wythnos, yn bydd?'

'Bydd, Nain?' meddwn i'n wylaidd.

'Dydw i ddim yn credu mewn segura,' medda hi. 'Dim hyd yn oed wrth gadw cwmpeini i dy nain,' medda hi gyda rhyw hanner gwên. 'Rhaid iti fynd allan a dy fwynhau dy hun.'

'Ond dwy i'n adnabod neb, Nain.'

'Phw!' medda hi. 'Mi rydw i, yn dydw?'

Mi suddodd fy nghalon i'm sgidiau. Doeddwn i ddim eisio cadw pen rheswm hefo pobl deirgwaith fy oed i!

'Mi fydda i'n ôl reit, Nain,' meddwn i'n wrol. 'Darllen a . . . a . . .'

Roeddwn i'n teimlo fel sleisen gig rhwng brechdan o dan bwysau'r cwilt cartre wedi imi fynd i'r gwely.

'Rargol!' meddwn i wrthyf fy hun. 'Mi fydda i wedi chwysu'n grimp erbyn y bore. Fydd 'na ddim ond croen ohona i.'

Mi driais droi ar fy ochr i gysgu . . . mi roddais fy nghoesau tros yr erchwyn i oeri dipyn arnyn nhw . . . mi godais at y ffenest a cheisio'i hagor ond dydi Nain ddim yn credu mewn gormod o awyr iach . . . mi es yn ôl at y gwely a thynnu'r cwilt a chanfod *tair* blanced oddi tano . . . (Be ma Nain yn ei drio'i wneud imi?) . . . ac yn y diwedd mi gysgais ar ben y cyfan.

Dydd Llun, Awst 13eg.

Sôn am hunllef a deffro a throi a throsi . . . a hunllef a deffro a throi a throsi. Roeddwn i'n llipa reit pan ddeffroais i. Mi ddychrynais pan edrychais ar fy wats. Naw o'r gloch! Mi fyddai Nain yn gweiddi am ei phaned!

Mi neidiais o'r gwely a rhuthro i'w llofft.

'Sori, Nain. Cysgu'n hwyr . . .' cychwynnais.

Ond doedd hi ddim yno.

'Nain!'

Doedd hi rioed wedi codi yn y nos ac wedi syrthio. Efallai ei bod hi wedi bod yn gorwedd ar y llawr trwy'r nos . . . ac wedi bod yn gweiddi ac yn gweiddi . . . a finnau ddim wedi'i chlywed hi. Efallai ei bod hi'n sâl hefo hypothermia eto, ac ar Gwenno Jones y byddai'r bai.

Mi fedrwn i fy ngweld fy hun mewn llys barn.

'Wnewch chi egluro i'r llys, Gwenno Jones, sut y bu ichi esgeuluso'ch dyletswydd . . .'

'Cysgu ddaru mi, eich Anrhydeddus Syr.' (Wn i ddim sut rydach chi'n cyfarch barnwr!)

'*Cysgu*! A pha esgus sydd ganddoch chi tros wneud y ffasiwn beth?'

'Cwilt cartre, eich Anrhydeddus Syr.'

Mi garlamais i lawr y grisiau.

'Bore pawb pan godo,' medda Nain yn hamddenol reit gan dywallt dŵr i'r tebot.

'Ond, Nain, y fi ddylai wneud. Dŵad yma i edrych ar eich ôl chi ddaru mi.'

'Phw!' medda Nain. 'Rydw i'n ddigon tebol i edrych ar ôl fy hun. Ddaeth rioed dda o'i lapio'i hun mewn gwlanen. Chefais i ddim owns o dendars gan neb erioed, a fûm i ddim yn disgwyl chwaith.'

Ew! Ma Nain yn un dda am ei thwyllo ei hun. Be gafodd hi ond tendars yn ein tŷ ni?

'Be am Taid, Nain?' meddwn i'n slei. 'Roedd o'n tendio dipyn bach arnoch chi, debyg?'

'Peth gwahanol oedd hynny,' medda Nain yn swta. 'Ac mi ddiolcha i iti feindio dy fusnes.'

A dyna fy sodro i yn fy lle am weddill y diwrnod, tê? Mi fydda i wedi fy niflasu'n gorn cyn cyrraedd fy ngwely heno, heb sôn am ddiodda tair wythnos yma!

Dydd Mawrth, Awst 14eg.

Mae 'na bishyn reit ddel yn byw tros y ffordd. Gwallt melyn a llygaid brown ganddo fo. Mi'i gwelais i o ddoe wrth fynd i'r siop. Mi ddeudodd 'Hylo' wrtha i hefyd. Ond dydi o ddim cymaint o bishyn â Derec Wyn.

'Pwy sy'n byw tros ffordd, Nain?' gofynnais yn ddigon didaro wedi imi ddŵad yn ôl.

'Wedi gweld Iwan wyt ti?' holodd Nain. 'Hogyn del, tê?'

Mi godais fy ysgwyddau.

'Am wn i.'

'A ble ma'r hogyn cariad 'na sy gen ti? Ydi o am ddŵad yma i dy weld?'

Mi deimlais y gwrid yn llifo trosta i.

'Gweithio,' meddwn yn swta.

'O . . .' medda Nain gan nodio'n wybodus. 'Ac yn dawnsio tendars ar y Saesnes 'na debyg?'

Mi edrychais yn hurt arni. Sut roedd hi'n gwybod am Mandy?

Gwenu ddaru Nain.

'O ia, ysti,' medda hi. 'Rydw i'n clywad, ac yn dallt mwy nag y mae neb yn 'i feddwl. Ac mi rwyt ti'n bwrw dy fol wrth Siw ar y ffôn. Dal di dy afael ynddo fo, os oes gen ti feddwl ohono fo.'

'Ond fedra i ddim, Nain,' llefais. 'Rydw i yma . . .'

Mi frathais fy nhafod. Dydw i ddim am i Nain feddwl fy mod i'n difaru dŵad.

'Dos di i'w ffonio heno 'ma,' gorchmynnodd Nain, 'a dweud fy mod i yn rhoi gwadd iddo yma.'

106

'Ond fedra i ddim . . . Dydw i ddim am redag ar 'i ôl o.'

'Y llac ei afael a gyll,' medda Nain yn swta.

Ffonio ddaru mi, a hynny hefo fy nghalon yn fy ngwddf. Beth petasai fo ddim eisio siarad hefo mi? Ei fam atebodd.

'2467? Pwy sy'n galw?'

'Gwenno sy 'ma. Ydi Derec Wyn yna, plîs?'

'O . . . Gwenno. A sut ydach chi? Treulio amser hefo'ch nain, medda Derec Wyn.'

'Ia. Yma am dair wythnos. Nes bydd yr ysgol yn dechrau.'

'Ma'ch nain yn falch o'ch cwmni, rwy'n siŵr,' medda hi'n garedig. 'Mi alwa i ar Derec Wyn.'

Mi ddisgwyliais am funud go hir cyn clywed ei lais.

'Hiya, Gwenno. Roeddwn i'n meddwl amdanat ti.'

Mi fu bron imi â beichio crio yn y fan a'r lle.

'O-oeddet ti? Wir?'

'Oeddwn siŵr,' medda fo.

Roedden ni yn dau'n fud am eiliad.

'Wyt ti . . .'

'Ddoi di . . .' medden ni gyda'n gilydd.

'Y chdi gynta.'

'Na, chdi,' medda Derec Wyn.

'Nain yn rhoi gwadd iti yma.'

'Iawn. Mi ddo i. Pnawn Iau.'

'Wir?'

'Siŵr iawn. Rydw i newydd ddweud.'

Roedd fy myd i'n enfys amryliw a minnau'n gwenu fel giât.

'Deuda wrtha i ffordd i ddŵad.'

'Mi ddo i dy gyfarfod at y bws.'

'Cychwyn ddau o fa'ma.'

Waeth gen i am aros hefo Nain . . . na cholli'n ffrindiau . . . na Llŷr yn cam-drin fy chwaraewr recordiau. Mi wela i Derec Wyn pnawn Iau. Hwrê!

Dydd Mercher, Awst 15fed.

Mi welais i Iwan eto bore 'ma.

'Hiya!' medda fo wrth imi basio giât fach yr ardd. 'Aros hefo Mrs Jones rwyt ti?'

'Ia,' meddwn i ar gyfyng-gyngor prun ai aros ta mynd yn fy mlaen wnawn i.

'Aros yn hir?' medda fo'n gyfeillgar.

'Tair wythnos,' meddwn i.

Sefyll yno ddaru mi. Wel, roedd yn anghwrtais symud ymlaen yn syth bin, on'd oedd? Ac mi roedd o'n hogyn del. Mi fuaswn i'n syrthio, oni bai fod Derec Wyn gen i.

'Beth rwyt ti'n ei wneud trwy'r dydd?' gofynnodd. 'Diflas braidd hefo dy nain o hyd.'

'O . . . ma Nain yn iawn,' meddwn i. 'Ond ydi, mae o braidd yn ddiflas.'

'Rhaid imi ddangos tipyn o'r lle 'ma iti felly, yn bydd? Ddoi di?'

'Ym . . . wel . . . wn i ddim,' meddwn i'n gloff. 'Wn i ddim faint o amsar ga i, tê?'

Roeddwn i'n danllyd fochgoch erbyn hyn.

'Biti dy weld ti ar dy ben dy hun,' medda fo a rhoi winc arna i. 'Gad imi wybod os bydd diddordeb gen ti.'

Doedd fy nhraed i ddim yn cyffwrdd y palmant. Meddyliwch! Y fi, Gwenno Jones, wedi cael bachiad eto! Wedi cael gwahoddiad clir . . . plaen . . . i fynd allan hefo hogyn arall. Nid Derec Wyn oedd yr unig un oedd yn fy ffansïo. Na, roedd Iwan hefyd. Roedd ei lygaid brown wedi dangos hynny. Mae'n rhaid na sylwodd o ddim ar y brychni haul!

'Wel,' medda Nain pan gyrhaeddais y tŷ. 'Gweld dy fod ti wedi cyfarfod Iwan eto.'

'Do.'

'Hm!' medda Nain. 'Fel'na roeddwn inna erstalwm hefyd. Mwy nag un ar f'ôl i.'

'Wir?'

'O ia. Ond dy daid oedd y gora ohonyn nhw i gyd.'

'A Derec Wyn ydi'r gora gen i,' meddwn i wrthyf fy hun.

Mi dreuliais y pnawn yn llnau dipyn bach i Nain . . . a nôl glo a phriciau, ac yn eistedd wedyn yn sbïo ar hen luniau yn yr albwm mawr.

'Gwallt hir ganddoch chi erstalwm, Nain.'

'Ffasiwn yr adeg honno,' medda Nain a'i hwyneb yn feddal dyner uwchben rhai o'r lluniau. 'Dyma dy daid a minna ar lan y môr, yli. Aberystwyth. Bws siarabang yno am y dydd.'

A dyma hi'n troi'r tudalennau'n ara bach, un ac un.

'A dyma ni ar ein mis mêl, yli. Tri diwrnod gawson ni.'

Roedd dwylo Nain yn grynedig grebachlyd ar y tudalennau a'r sbotiau henaint yn bla ar eu cefnau. Dwylo henaint. Ond roedd y lluniau'n ifanc a llygaid Nain yn ifanc wrth syllu arnyn nhw hefyd. A chofio.

'Dyma dy dad, yli. Yn cerdded am y tro cynta. A dyma fo hefo Mot, yr hen gi defaid. Diar, mi roedd Mot yn ei ddilyn o i bobman. Mot gafodd hyd iddo fo pan aeth o ar goll.'

'Dad? Ar goll?'

'Do. Pan oedd o'n bedair oed. Cychwyn cerdded i'r stesion ar ôl ei dad. A dim syniad o'r ffordd. Clywed Mot yn cyfarth a chyfarth ddaru ni, a hithau'n nos. Pentre cyfan yn chwilio amdano fo.'

'Dydi Mam ddim yn licio cŵn.'

'Ma 'na lawer o bethau nad ydi dy fam yn eu licio,' medda Nain yn bigog. 'Yn cynnwys gair o gyngor.'

'Nain?' meddwn i. 'Be di'r gwahaniaeth rhwng cyngor a busnesu?'

'Hrmph!' oedd unig ateb Nain fel y caeodd yr albwm. 'Gwna baned.'

Dydd Iau, Awst 16eg.

Mi godais i'n teimlo fel y gog y bore 'ma. Mae Derec Wyn yn dŵad, yn tydi?

'Bwyta frecwast iawn,' medda Nain. 'Does dim achos llwgu dy hun i blesio neb.'

'Dydw i ddim, Nain,' meddwn i gan grychu fy nhrwyn uchwben y bacwn. 'Ond fedra i ddim wynebu pethau wedi'u ffrio ben bora. Na fedra wir.'

'Syniada ffasiwn newydd,' medda Nain yn swta. 'Welis i rioed ddrwg o'r badell. Leinio stumog rhywun.'

'Ga i wneud brecwast fory? Grilio. Dydach chi ddim eisio cael helynt y galon, yn nac oes?'

'Ma nghalon i wedi cael digon o helynt . . . a mwy,' medda Nain. 'Siomedigaeth, yli.'

Dydi Nain ddim yn colli run cyfle i ddweud ei chŵyn.

'Does 'na ddim bai ar Dad,' meddwn i. 'Nac ar Mam chwaith.'

'Arna i, debyg,' medda Nain yn reit ffyrnig.

'Dydi pawb ddim yn cyd-weld hefo'i gilydd,' meddwn i gan deimlo'n rêl cynghorydd teuluol wrth ei gwaith. 'Pawb yn credu pethau gwahanol, tê?'

Mi roeddwn i'n fy synnu fy hun. On'd oeddwn i'n rhes-ymol . . . a gofalus . . . ac yn llawn o synnwyr pen bawd? Yn ddigon o ryfeddod!

Malwen o fore!

'Dos allan am dro, wir,' medda Nain. 'Yn lle dy fod ti'n stelcian ar bigau'r drain yn y gegin 'ma, ac yn sbïo ar y cloc bob yn ail eiliad.'

'Dach chi eisio rhywbeth o'r siop?' meddwn i'n obeith-iol.

'Tyrd â theisen i de,' medda Nain. 'Un ffansi i roi croeso i'r hogyn cariad 'ma rwyt ti'n ei ddisgwyl.'

'Iawn,' meddwn i a'i gwadnu hi am ychydig o awyr iach a llonyddwch i freuddwydio.

Mi gerddais y stryd a'm meddwl ymhell. Be wnaen ni y

pnawn 'ma? Pnawn ar ein pennau ein hunain am unwaith. Doedd Nain rioed yn disgwyl inni aros yn y tŷ, yn nac oedd? Mi fuaswn yn *marw* o syrffed!

Na, mi aen ni am dro. Cerdded i lawr at y bont law yn llaw a syllu i lawr ar yr afon. Cerdded ar hyd y llwybr ger y dŵr hefyd . . . mynd ymlaen i'r parc . . . eistedd ar y fainc a'i fraich yn dynn amdana i . . .

'Hei! Wyt ti ddim wedi deffro y bore 'ma?'

Iwan! Mewn gwasgod felen, ac yn powlio tryc yr un mor felyn hefo brws a rhaw ynddo fo!

'Nefi! Be wyt ti'n 'i wneud?' meddwn i'n syn.

'Joban ha, siŵr iawn,' medda fo. 'Llnau. Brwsio stryd a chlirio'r sbwriel mae pobl yn ei daflu heb falio dim am yr amgylchedd.'

'Ych!'

'Dim "ych" amdani, Madam. Sgin pobl ddim cydwybod.'

Yna dyma fo'n sbïo'n gam arna i.

'Hei! Wn i ddim be 'di dy enw di, yn na wn? Fedra i ddim galw "Madam" arna ti o hyd. Ma'n well imi fy nghyflwyno fy hun. Iwan Rees . . . at eich gwasanaeth, Madam.'

A dyma fo'n rhoi ei law ar ei stumog ac yn bowio'n rêl het o fy mlaen. Gobeithio nad oedd neb yn sbïo.

'Gwenno. Gwenno Jones ydw i.'

'Siŵr iawn. Rwyt ti'n edrych fel Gwenno.'

'Be wyt ti'n 'i feddwl . . . edrych fel Gwenno?' meddwn i'n siort. Am beth od i'w ddweud.

'Gwenno ffein, Gwenno ddel, Gwenno'n gwisgo . . . O, mor swel!'

'Ffŵl!' Ond fedrwn i ddim peidio â gwenu.

'A ble rwyt ti'n mynd rŵan felly?' gofynnodd.

'I'r siop i Nain.' Mi wridais braidd. 'Ffrind imi'n dŵad y pnawn 'ma. Derec Wyn.'

'Cariad?'

'Mmm!' Mi wridais yn waeth byth!

'Biti,' medda fo a gwneud llygaid bach arna i.

'Ia . . . wel, ma'n rhaid imi fynd,' meddwn i'n ffrwcslyd.

Rhywsut, fedrwn i ddim cyfarfod ei lygaid heb deimlo'r gwrid yn lledaenu tros fy nghorff. Beth oedd o'n ei feddwl hefo 'Biti' tybed? Biti fod gen i gariad? Biti na fuasai fo yn cael cyfle?

Dew! Roedd y teimlad fod bachgen yn fy ffansïo yn deimlad ardderchog! Er nad oedd gen i ddiddordeb. Ddim â Derec Wyn gen i, tê?

Mi brynais deisen yn y siop a cherdded yn ôl ar hyd y stryd. Tybed a fyddai Iwan yno rŵan. Ond er imi sbïo i bob cyfeiriad, doedd 'na ddim golwg ohono fo. Nid fod ots gen i, chwaith. Ond mi roedd yn hwyl siarad hefo fo.

'Gefaist ti un?' holodd Nain gan lygadu'r bag papur yn fy llaw. 'Dim teisen â chnau ynddi hi, gobeithio? Ma'n nhw'n sticio o dan fy nannadd i.'

'Jam a hufen, Nain. Teisen Victoria.'

'Welaist ti rywun o bwys ar dy drafael?' holodd Nain eto.

Mi fedrwn fy nghicio fy hun am wrido.

'Dim ond . . . Iwan.'

'O . . .' medda Nain gan daflu cipolwg gwybodus ar fy wyneb. 'Hogyn golygus. Neis hefyd. Cwmpeini iti tra byddi di yma.'

Be ma Nain yn ei drio'i wneud? Rydw i'n cofio amser pan oedd hi'n gadarn gorn yn erbyn cariadon . . . ac yn erbyn i neb ifanc ei fwynhau ei hun a phethau felly. Mae'n rhaid ei bod hi'n meddalu wrth fynd yn hen. Neu tybed mai rŵan mae hi a finna'n dechrau dallt ein gilydd?

'Ewch o'ma, Nain,' meddwn i. 'Dydw i'n nabod dim arno fo. Dim ond siarad. A mae ganddo fo ei ffrindiau'i hun, siŵr o fod.'

Wn i ddim sawl gwaith y sbïais i ar y cloc. Bron nad

oeddwn i'n berffaith grediniol fod ei fysedd wedi gludio yn yr wyneb am eu bod nhw'n symud mor araf.

Ond mi gyrhaeddon nhw at ddau o'r gloch o'r diwedd, ac mi fedrwn innau gychwyn i gyfarfod y bws.

'Mi fydd te yn barod tua'r pedwar 'ma,' medda Nain. 'Ma'n siŵr nad wyt ti ddim am frysio'n ôl i gadw cwmpeini i dy Nain druan.'

'Go brin,' meddwn i wrthyf fy hun.

Roeddwn i ar bigau'r drain yn disgwyl y bws. Beth petasai fo'n hwyr? Beth petasai fo wedi ailfeddwl, a dim am ddŵad o gwbl? Ac, o'r nefoedd, beth petasai Mandy Webb wrth ei gwt o?

Fûm i rioed mor falch o ganfod croes i amheuon. Roedd y bws ar amser; roedd Derec Wyn arno fo . . . a doedd na ddim golwg ar Mandy Webb, diolch i'r drefn.

'Hiya!' meddai Derec Wyn gan ddringo i lawr yn wên i gyd.

'Hiya!' meddwn innau.

'Ble'r awn ni? Dim yn syth i dŷ dy Nain, yn naci?'

'Lawr at yr afon . . . cerdded y llwybr.'

'Iawn.'

Mi gerddon ni linc-di-lonc gan afael yn ein gilydd. Roedd yr haul yn gynnes braf ar fy wyneb i . . . a minnau yn fy jîns gorau . . . a braich Derec Wyn yn gariadus glòs am fy nghanol i, ac mi roedd ganddon ni oriau yng nghwmni'n gilydd. Grêt, grêt a grêt!

'Be fuost ti'n ei wneud yr wythnos yma?' holodd Derec Wyn. 'Wyt ti'n diflasu hefo dy Nain?'

'O . . . ma Nain yn iawn. Yn well nag yr oeddwn i'n 'i feddwl, a dweud y gwir. Be amdanat ti?'

'Be?'

'Be fuost ti'n ei wneud?'

Mi edrychodd Derec Wyn braidd yn annifyr am eiliad.

'O . . . dim llawer o ddim. Clwb Nofio un noson.' Mi gliriodd ei wddf yn swnllyd braidd. 'Mi fu'n rhaid imi fynd â

Mandy hefo mi. Roedd hi a'i thad acw i swper. Fedrwn i ddim peidio, a Mam yn swnian.'

'O . . .' Roedd yna dwll gwag rywle o gwmpas fy stumog.

'Ydyn nhw acw'n aml?'

'Ydyn braidd. Ffrindia clwb golff . . . ac am fod Dad yn gynghorydd. Sôn lot am y ffatri ac ati.'

'O . . .' meddwn i eto.

'Mam yn niwsans yn ei stwffio hi ata i o hyd. Am ei bod hi'n unig . . . dim i'w wneud tra ma'i thad mor brysur.'

'Hrmph!' meddwn i wrthyf fy hun. (Mi rydw i'n perthyn yn agos i Nain!) 'Ma Gwen a Gwawr ganddi hi,' meddwn i'n uchel wedyn.

'Y ddwy yn Aber.'

'O . . . hefo'r bobl rheiny gawson ni fenthyg dillad ganddyn nhw.'

'Ia . . . perthyn i Gwawr.'

Doedd dim ots gen i petasen nhw'n perthyn i'r frenhines. Mandy Webb oedd yn fy mhoeni i, nid helynt y lladrad. Roedd hwnnw wedi toddi i'r gorffennol bellach. Hen hanes, a doedd fawr o ots gen i pwy glywsai amdano fo chwaith. A meddwl fy mod i wedi cnoi fy ewinedd i'r byw yr adeg honno!

'Pa bryd mae hi'n mynd adra?'

'Pwy?'

'Mandy Webb, siŵr iawn.'

Prun oedd o? Heb ddiddordeb, ta euog?

'O . . . wn i ddim. Tua'r amser y bydd yr ysgol yn dechrau, am wn i.'

Tros bythefnos! Pwy ŵyr beth fyddai'r feudan wedi'i wneud erbyn hynny?

Ond roedd braich Derec Wyn am fy nghanol a ninnau'n eistedd yn glòs glòs ar sedd y parc. Doedd dim angen imi boeni, yn nac oedd?

Mi aethon ni'n ôl i dŷ Nain tua hanner awr wedi pedwar.

'Ma'r te yn barod,' medda Nain cyn dweud 'hylo' wrth Derec Wyn bron. 'Bwytwch fel pe buasech chi adra.'

Wel, dydi Derec Wyn na finna ddim yn or-hoff o deisen ffansi a brechdan jam ond bwyta fu'n rhaid inni. A chadw cwmpeini i Nain wedyn hefyd, er fy mod i wedi rhyw hanner gobeithio y buasen ni'n medru mynd i'r parlwr ffrynt i gael sgwrs fach ar ein pennau ein hunain . . . a chusan neu ddwy hefyd!

Ond mae Nain wedi anghofio sut beth ydi bod yn ifanc. Chawson ni mo'r cyfle i wneud dim ond eistedd yn y gegin fach ar ôl golchi'r llestri. Mi ofalodd Nain fod y drws yn agored . . . rhag ofn inni fyhafio'n anweddus o dan ei tho hi, tê?

Mi ddanfonais Derec Wyn at y bws saith.

'Mi ddo i yr wythnos nesa eto,' meddai jest cyn dringo i'r bws.

'Iawn,' meddwn i.

Mi fuaswn i wedi licio dweud wrtho fo am gadw Mandy Webb ar hyd braich hefyd, ond cau fy ngheg ddaru mi, rhag ofn imi wneud pethau'n waeth. Mae Siw yn dweud nad ydi bechgyn yn licio merched yn swnian arnyn nhw o hyd. Ffrae iawn, neu ddim, medda hi.

Dydd Gwener, Awst 17eg.

Cerdyn gan Siw y bore 'ma. Dŵad yma hefo bws ddau. Braf, tê? Cael dau ymwelydd mewn dau ddiwrnod. Mi aiff yr wythnosau fel mellten fel hyn!

'Siw'n dŵad Nain,' meddwn i. 'Bws ddau.'

'Mi welais i oddi wrth y cerdyn,' medda Nain.

Dew! Does dim yn breifat lle mae Nain yn y cwestiwn. Meddyliwch! Darllen cerdyn rhywun arall!

'Fydd Mam byth yn darllen fy llythyron,' meddwn i, yn benderfynol o ddweud fy meddwl wrthi.

'Ma cerdyn yn agored i'r byd ei weld,' medda Nain heb ronyn o gywilydd.

115

Pletio ngheg ddaru mi. Rydw i'n dechrau cydymdeimlo dipyn bach hefo Mam. Mae gormod o Nain yn eich fflatio fel carped lolfa.

Mi neidiodd Siw oddi ar y bws fel pe buasai haid o wenyn ar 'i hôl hi.

'Gwenno! Wyt ti'n fyw ac yn iach, dywed? Sut mae dy Nain? Be wyt ti'n 'i wneud trwy'r dydd? Wyt ti'n ddiflas gorn? Hidia befo. Ma Anti Siw yma i dy ddiddori di.'

Mi gerddon ni ar hyd y palmant gan siarad pymtheg yn y dwsin.

'Mae hi fel anialwch Sahara hebddot ti, cofia. Gwen a Gwawr i ffwrdd hefyd.'

'Roedd Derec Wyn yn dweud.'

'Fuo fo yma?'

'Pnawn ddoe.'

'O.'

'Be rwyt ti'n 'i feddwl . . . O . . .?'

'Dim byd. Dim ond meddwl roeddwn i.'

'Meddwl be?'

Mi fu Siw yn ddistaw am eiliad.

'Waeth imi ddweud wrthyt ti ddim. Ma Mandy Webb yn byw a bod hefo fo. Yn y Clwb Nofio, yn y caffi . . . ar gefn beic noson o'r blaen . . .'

'Yno i swper ma hi a'i thad o hyd. Mam Derec Wyn yn mynnu'u gwadd. Ffrindiau Clwb Golff a ballu.'

'Ma mam Derec Wyn yn rêl snob, yn tydi?'

Wel, mi fuaswn i'n licio anghydweld â Siw petasai ddim ond am mai am fam Derec Wyn roedden ni'n siarad. Ond fedrwn i ddim dadlau yn erbyn y gwir.

'Ia, ond dydi Derec Wyn ddim . . . na'i dad o chwaith.'

'Na, roedd o'n hwyliog pan gollon ni'n dillad, on'd oedd?'

Mi fûm i'n ddistaw am ychydig tra oeddwn i'n troi a throsi geiriau Siw yn fy meddwl. Peth rhyfedd na ddaru

Derec Wyn sôn am fynd i'r caffi hefo Mandy . . . ac am y reidio beic hefyd. Oedd o'n cuddio rhywbeth?

'Wyt ti'n meddwl ei fod o'n ffansïo Mandy Webb?' gofynnais.

'Na . . . ond ma *hi'n* 'i ffansïo fo. A does ganddi hi ddim byd arall i'w wneud ond rhedeg ar 'i ôl o, yn nac oes?'

Esgob, mi roeddwn i lawr yn y dymps.

'Duw, anghofia fo,' cynghorodd Siw. 'Mi aiff Mandy'n ôl cyn dechrau'r ysgol.'

'Ia . . . ond dydw i ddim eisio Derec Wyn os ydi o wedi fy nhwyllo i hefo Mandy.'

Ochneidio ddaru Siw.

'Yli, Gwenno, ma pawb wedi bod hefo rhywun arall rywdro.'

'Dydw i ddim . . . na thitha chwaith.'

'Ond mi fyddwn ni rywdro, yn byddwn?'

'Roeddwn i'n meddwl dy fod ti am briodi Prysor.'

'Wel . . . ydw, ond mi rydw i eisio blasu tipyn ar fywyd cyn gwneud. Ma Prysor yn medru bod yn andros o hen ffash weithiau.'

Roedd fy ngheg i'n agor a chau fel pysgodyn newydd ei ddal.

'Dydw i eisio neb ond Derec Wyn.'

Doedd waeth gen i fy mod wedi newid fy addunedau ac wedi dweud 'Wfft i Derec Wyn'. Roedd pethau wedi newid ers hynny, yn doedden?

'Tyrd yn dy flaen,' meddwn i. 'Well inni fynd at Nain gynta, a mynd am dro ar ein pen ein hunain wedyn. Ma hi'n disgwyl.'

Pan gyrhaeddon ni at y bont, pwy welais i ond Iwan yn cymryd seibiant yn erbyn y canllaw.

'Hei, . . . Gwenno,' galwodd yn wên i gyd. 'Pwy sy hefo ti heddiw?'

Mi agorodd llygaid Siw.

'Ffrind o adra,' meddwn i. 'Siw . . . dyma Iwan. Byw tros ffordd i Nain.'

'Ew . . . ydi?' medda Siw a'i llygaid hi'n sefydlog ar ei wallt melyn. 'Ydi wir?'

Ddeudodd hi ddim gair yn ychwaneg, dim ond sbïo a'i llygaid fel soseri.

'Be wyt ti'n 'i wneud fory?' gofynnodd Iwan imi. 'Ma criw ohonon ni'n mynd i Blas Bont gyda'r nos. "Siencyn Dryw" yno. Grêt o grŵp, coelia di fi. Ddoi di? A chditha, Siw, os byddi di yma.'

Roeddwn i'n mwynhau'r syndod oedd ar wyneb Siw.

'Ga i weld,' meddwn i'n fawreddog. 'Dweud wrthyt ti fory. Ond fydd Siw ddim yma, yn na fyddi, Siw?'

'N-na fyddaf,' oedd ateb syn Siw.

Mi gerddon ni ymlaen.

'Pam fuaset ti'n dweud wrtha i?' holodd Siw yn gyffrous. 'Pishyn fel'na reit tros ffordd a chditha'n poeni am Derec Wyn. Phiw!'

'Dydw i wedi gwneud dim ond siarad hefo fo.'

'Llygaid brown . . . gwallt melyn a hwnnw'n *gyrls*!' rhyfeddodd Siw. 'Mae o fel delwedd y breuddwyd gorau a gefais i rioed! A ma fo yn dy ffansïo di!'

'Dos o'ma,' meddwn i'n anghyfforddus braidd. 'Wyt ti'n meddwl?'

'Meddwl? Cant y cant siŵr,' haerodd Siw. 'Wyt ti am fynd nos fory?'

'Na. Ddim yn deg â Derec Wyn. A dim yn licio gadael Nain.'

'Mae dy Nain yn tebol siŵr.'

Mi gyrhaeddon ni'r tŷ.

'A sut ydach chi, Siw?' medda Nain yn wên i gyd.

'Iawn, diolch,' medda Siw gan eistedd o flaen y tân a siarad am yr hyn a'r llall fel pe buasai hithau tros ei deg a thrigain.

'Ew! Ydach chi ddim yn boeth hefo'r tân 'ma, Nain?' meddwn i. (Mwg oedd 'na, ddim tân!)

'Does dim fel dipyn o dân i ddangos croeso, yn nac oes, Mrs Jones?' medda Siw.

Crafwr! Doedd 'na ddim digon o dân i groesawu neb. Ond rhoi winc slei arna i ddaru Siw, a dechrau sôn am Iwan ac am y gwahoddiad roes o imi nos fory.

'Wrth gwrs, fedr Gwenno ddim mynd a chithau ddim yn tebol,' medda Siw. 'Biti hefyd.'

'A phwy sy ddim yn tebol?' holodd Nain yn bigog. 'Wedi dŵad yma i gael gwyliau ma Gwenno, ddim i nyrsio.'

'O . . .' medda Siw yn fodlon.

'A ma perffaith ryddid iddi fynd i ble y mynnith hi . . . o fewn rheswm,' medda Nain.

Mi fuaswn i'n medru *lladd* Siw. Gyrru'r cwch i'r dŵr. Wyddwn i ddim a oeddwn i eisio mynd ai peidio. A dyma Siw yn fy mwrw tros fy mhen a'm clustia. Mi fyddai Nain yn meddwl yn siŵr fy mod i eisio mynd rŵan.

'Paid â bod yn ffŵl,' meddai Siw cyn mynd adra. 'Gwrthod gwahoddiad fel'na tra mae Derec Wyn yn chwara o gwmpas hefo Mandy Webb!'

Wel, wrth iddi ei ddarlunio fel'na, tipyn o ffŵl fuaswn i, tê? Mi orweddais yn fy ngwely a'm meddwl yn troi. Mynd . . . peidio. Derec Wyn . . . Iwan. Derec Wyn . . . Gwenno. Derec Wyn . . . Mandy Webb.

IWAN . . . GWENNO?

Dydd Sadwrn, Awst 18fed.

Mi fûm i'n dadlau hefo mi fy hun trwy hanner oriau'r nos. Awn i ai peidio? Tybed ai brad fyddai mynd hefo Iwan a finnau'n caru Derec Wyn? Ond 'mynd' diniwed fydda fo, tê? Jest derbyn gwahoddiad i lenwi'r noson.

'Y fi sy'n gwneud brecwast y bora 'ma,' meddwn i wrth Nain. 'Grilio. Ydach chi'n cofio?'

'Hrmph!' oedd unig ateb Nain.

Mi fwynheais fy hun yn grilio bacwn ac yn cnocio wyau i wneud sgrambl.

'Torri i lawr ar y braster, ylwch, Nain. Dydi o ddim yn dda ichi. Doctoriaid wedi darganfod.'

'Tasat ti'n gwrando ar bopeth, fuaset ti'n bwyta dim,' meddai Nain yn siort. 'Welais i rioed ddrwg o fwyd natur-iol iach, a digon ohono fo.'

'A mae brecwast plaen yn well hefyd,' meddwn i. 'Corn Flecs a thost a marmalêd, tê?'

Mi fwytaodd Nain ei brecwast grilio a sgrambl yn ddistaw, heb frolio na beio. Hwrê! Efallai fy mod i wedi'i pherswadio o'r diwedd.

'A be wyt ti am ei wneud heno?' medda hi'n sydyn. 'Mynd hefo Iwan a'i ffrindia, debyg?'

Ffrindiau? Doeddwn i ddim wedi meddwl am ffrindiau. Rhywsut, pan oeddwn i'n trio penderfynu, doeddwn i ddim wedi gweld neb ond y fo a fi yn treulio'r gyda'r nos hefo'n gilydd. Dim ffrindiau.

'Wn i ddim,' meddwn i. 'Dydw i ddim eisio mynd hefo dau ar unwaith.'

'Does 'na ddim deddf yn erbyn iti dy fwynhau dy hun ar dy wyliau,' medda Nain. 'A mi ddaw Iwan â thi adre'n ddiogel.'

'Ia . . . wel . . .'

Ond roedd yn rhaid imi gyfaddef fod y syniad yn un den-iadol. Talu pwyth bach yn ôl i Derec Wyn. Os oedd o'n medru cadw cwmpeini i Mandy Webb, wel, mi fedrwn innau fod yn ffrindiau hefo Iwan. Dim ond ffrindiau. Efallai fod gan Iwan gariad yn barod. Ond am ryw reswm, doeddwn i ddim yn hoffi'r syniad hwnnw chwaith.

Chawson ni ddim ond prin orffen ein brecwast, na ddaeth na gnoc ar y drws.

'Dos i'w ateb o, wnei di?' medda Nain. 'Ac os mai gwerthu rhywbeth ma'n nhw, cau'r drws yn eu hwynebau nhw. Fedra i ddim diodda'r gwerthwyr stepan drws 'ma sy'n trio stwffio pethau i bobl sy mo'u hangen nhw.'

Ond Iwan oedd yno. Wedi dŵad i ofyn a oeddwn i am ddŵad allan gyda'r nos. Sgut, tê? Mae'n rhaid ei fod o'n reit awyddus am fy nghwmni! Mi roedd yna yswigen fach hapus yn dawnsio rywle o gwmpas fy stumog i.

'Tyrd i mewn,' medda Nain o'r tu ôl imi. (Be 'di'r iws anfon rhywun i ateb drws, a dŵad yno i fusnesu wrth eu cwt?)

'Daw siŵr,' medda hi cyn imi gael cyfle i wrthod na derbyn. 'Ond iti ddŵad â hi adra o fewn rheswm, tê?'

'Siŵr iawn, Mrs Jones,' medda Iwan.

'Ia . . . wel,' meddai Nain. 'Fuaswn i ddim yn gadael i Gwenno fynd hefo pawb.'

'Ia, trefnwch ymlaen,' meddwn i wrthyf fy hun. 'Penderfynwch bopeth drosta i, fel pe na buasai gen i damaid o farn fy hun.'

'A sut y dowch chi adra?' holodd Nain.

'Rydan ni wedi trefnu bws,' medda Iwan. 'Criw ohonon ni.'

'A does 'na ddim diod feddwol yno, gobeithio?' holodd Nain.

'Sudd oren a Coke,' medda Iwan. 'Dan ddeunaw ydi o.'

'Sothach Americanaidd yn llawn siwgr a gwynt,' deddfodd Nain. 'Yfed sudd oren ydi'r gorau iti, Gwenno.'

'A faint mae o'n 'i gostio?' holodd wedyn.

'Dwybunt,' medda Iwan.

'Rargian fawr!' medda Nain. 'Fedrwch chi ddim cael lle rhatach, deudwch? Ma'r bobl 'ma'n rhy farus er mawr gywilydd iddyn nhw.'

'Ma gen i bres, Nain,' meddwn i, yn falch o gael fy mhig i mewn o'r diwedd. 'Mi ges i rai gan Dad.'

'Do, mae'n siŵr,' oedd ateb sych Nain.

Wel, doeddwn i ddim yn gwybod prun ai ar fy mhen ta ar fy nhraed roeddwn i erbyn hyn. Roedd Nain ac Iwan fel lli'r afon yn fy mwrw'n bendramwnwgl i'w cynlluniau nhw eu hunain.

'Ylwch . . . dydw i ddim yn siŵr os ydw i eisio mynd,' meddwn i'n wannaidd.

'Wyt, siŵr,' medda Nain. 'A does dim eisio iti boeni amdana i. Ma Lisi Jên yn dŵad yma ar nos Sadwrn. Dŵad ers blynyddoedd.'

Pam gebyst na fuasai hi'n dweud, ta? Mi fuaswn i wedi medru trefnu cyfarfod Derec Wyn, efallai. (Hynny ydi, os oedd o eisio ngweld i. Efallai fod yn well ganddo gwmpeini Mandy Webb.)

Os felly, roedd rhyddid i minnau fynd allan hefo Iwan, yn doedd? Fel ffrindiau.

'Ddoi di allan pnawn 'ma i gyfarfod rhai o'r criw?' gofynnodd Iwan.

'Daw, siŵr,' medda Nain. 'Dim byd arall ganddi i'w wneud.'

Dew! Ma Nain wedi newid ei chôt! Bron nad ydi hi'n fy hel o'r tŷ.

'Mi wnaiff les iti gael dy draed yn rhydd,' medda hi'n awdurdodol. 'Wedi tendio digon arnyn nhw gartra.'

Wel, mi roeddwn i'n cyd-weld gant y cant hefo hi yn y fan yna. Sgifi fûm i ers geni'r babi, a chynt hefyd!

'Ma'n criw ni yn cyfarfod i lawr wrth y cei,' medda Iwan fel y cychwynnon ni ar ôl cinio. 'Caffi Dafydd.'

'O . . .' meddwn innau.

'Criw iawn. Mi gei'u cyfarfod nhw i gyd. Siôn a Mei ac Ynyr, a wedyn ma'r gennod Gwenan a Carys ac Esyllt. A rhywun arall fydd yn digwydd dŵad, tê?'

Esgob, roeddwn i'n dechrau teimlo fel pe buaswn ar fin cael fy nhaflu i ffau llewod! Fy nghas beth i ydi cyfarfod lot o bobl ddieithr a'r rheiny i gyd ar unwaith. Mynd yn chwys drosta i . . . ac yn fflamgoch . . . ac yn methu â gwybod beth i'w wneud hefo fy nhraed a'm dwylo . . . a nhafod i yn gwlwm gwythi mud.

'O . . . ia,' meddwn i'n wantan.

Petasai gan Nain ffôn, yn lle dibynnu ar y bwth stryd, mi fuaswn wedi ffonio Siw cyn cinio. Jest i ddweud y diweddara wrthi hi, tê? A tasa Siw wrth fy ochr, fuasai fymryn o ots gen i yng nghanol yr wynebau dieithr. Ond, wrth gwrs, ma Nain yn gadarn gorn yn erbyn talu arian am ychydig o sgwrs, a gorfod gwneud heb gyngor Siw roeddwn i.

Cwt pren oedd Caffi Dafydd wedi'i leoli bron uwchben y dŵr i lawr wrth y cei . . . a hwnnw'n orlawn.

'Dacw nhw wrth y bwrdd pella 'cw,' medda Iwan gan afael yn fy mraich a'm hebrwng yn igam-ogam rhwng y byrddau.

'Gwenno ydi hon,' cyhoeddodd fel y safon ni wrth y bwrdd. 'Aros hefo'i nain, Mrs Jones tros ffordd.'

A dyma fo'n dechrau pwyntio.

'Gwenan . . . Esyllt . . . Carys . . . Meinir hefo'r gwallt du 'na . . . Ynyr . . . a Siôn . . . Mei heb gyrraedd eto.'

Mi fedrwn i deimlo parau o lygaid yn fy mhwyso a'm mesur ac mi aeth cledrau fy nwylo'n chwys domen.

'H-hylo,' meddwn i'n wannaidd.

'Eista fa'ma, Gwenno,' medda Carys o'r diwedd gan symud i fyny ar y fainc i wneud lle. Gwgodd braidd. 'Trystio Iwan i gael gafael ar ferch arall . . . ddaw o byth â hogyn golygus newydd i'r criw. Ble rwyt ti'n byw felly?'

Oeddwn i wedi sathru'i thraed hi? Efallai mai hi oedd cariad Iwan. Mi fedrwn deimlo'r gwrid yn lledaenu tros fy wyneb.

'Rhoi gwadd imi ddŵad heno ddaru o,' meddwn i. 'Am fy mod i ar fy mhen fy hun.'

Mi ostyngodd hithau ei llais yn gyfrinachol.

'Dipyn o foi ydi Iwan, ysti. Meddwl ei hun hefo gennod. Newid nhw bob lleuad. Rydan *ni* i gyd yn ei nabod o.'

'O . . . dydi hynny'n poeni dim arna i,' meddwn i. 'Ma gen i gariad gartra. Derec Wyn.'

Fedrwn i yn fy myw deimlo fod gobaith imi ddŵad yn un o'r criw er imi dreulio'r pnawn yn eu cwmni nhw, ond mi roedd pawb yn reit gyfeillgar, am wn i. Efallai fod bai arna i am deimlo'n chwith! A doeddwn i ddim yn siŵr a oedd rhybudd Carys o ddifri ai peidio. Efallai mai cenfigennus oedd hi. Run fath â Gwen pan ddaru Derec Wyn a finna ddechrau mynd allan hefo'n gilydd.

'Wel, ddaru ti dy fwynhau dy hun?' gofynnodd Nain.

'D-do,' meddwn i heb fedru penderfynu'n iawn.

'Mi edrychith Iwan ar d'ôl di,' medda Nain yn fodlon. 'Chaiff neb ddweud fy mod i wedi dy gadw di yma fel sgifi.'

'O-ho!' meddwn i wrthyf fy hun. 'Fuo Dad yma?' gofynnais. (Rydw i'n medru darllen Nain fel llyfr!)

'Os medri di'i alw fo'n ddŵad yma,' medda Nain yn siort. 'Pum munud, a hynny ar ei draed ar yr aelwyd 'ma. Fawr amsar i eistedd hyd yn oed. Holi amdanat ti.

'Wyddwn i ddim ei fod o'n dŵad,' meddwn i. 'Neu mi fuaswn i wedi aros yma.'

'Wedi sôn rhywbeth pan oedden ni'n gadael dydd Sul,' medda Nain.

Wel, dweud y deuai ddechrau'r wythnos ddaru o wrtha i. A rhyfedd, doeddwn i ddim wedi meddwl llawer amdanyn nhw gartre chwaith, er fy mod i yma ar fy mhen fy hun hefo Nain. Mi fuaswn i wedi licio gwybod sut roedd Mam a Dad a Llŷr . . . a chael allan tybed a oedd y babi wedi gorffen crio bellach!

'Pawb yn iawn yno?' meddwn i.

'Am wn i,' medda Nain. 'Chefais i fawr o gyfla i ofyn.'

Dew! Mae hi'n reit boeth rhyngddyn nhw o hyd! Dydi Nain ddim wedi maddau, yn nac ydi? A fedrwn i yn fy myw benderfynu ymhle roedd fy nghydymdeimlad chwaith. Hefo fy rhieni, ta hefo Nain?

Ond doedd gen i fawr o amser i bendroni dros bethau felly, ddim â minnau'n mynd hefo Iwan heno.

'Rydw i am fynd am fath, Nain,' meddwn i cyn gynted ag y cawson ni de.

'Twt, ma gen ti oriau cyn amser mynd,' medda Nain. 'Gosod y bwrdd bach 'ma imi, wnei di? Y llestri gora. Ma Lisi Jên yn licio tsieni ffein.'

Siwgr gwyn! Dydi Nain fawr gwell na nhw adra. Sgifi ydw i yma run fath!

'A phaid â defnyddio gormod o ddŵr poeth yn y bath 'na,' medda Nain. 'Ma fo'n costio.'

Run geiriau'n union â Mam!

Mi gyrhaeddais yr ystafell molchi o'r diwedd. Bath mawr gwyn sy gan Nain. Un hefo traed henffasiwn ac anialwch o dywyllwch yn gartra i bryfaid cop oddi tano. A does 'na ddim ond linoliwm oer a chlwtyn o fat fel cledr llaw ar y llawr chwaith. Penyd, nid pleser ydi ymolchi'ch hun yn nhŷ Nain!

Mi arllwysais dipyn o ddŵr llugoer o'r tap dŵr poeth. Dydi Nain ddim yn credu mewn troi'r gwresogydd trydan ymlaen i'w gynhesu, dim ond mewn defnyddio'r llygedyn tân 'na sydd ganddi. A sut medr neb ei socian ei hun mewn dŵr llugoer a breuddwydio am y bechgyn yn ei bywyd?

'Hei-ho,' meddwn i wrthyf fy hun. 'Sôn am fyw yn yr oes o'r blaen.'

Mi dywalltais joch reit dda o'r hylif bath a roddais i'n anrheg ben-blwydd i Nain y flwyddyn cyn y diwethaf. Ddaru hi ddim defnyddio diferyn ohono a finnau wedi prynu'r union un fuaswn i'n 'i ddewis fy hun. Lwcus ei fod o'n dal yma. Mi fydda i'n drewi o arogl da heno.

Efallai y bydd Iwan wedi gwirioni pan ddaw o'n ddigon agos i gael sniff! Mi fedra i ein gweld ni'n cerdded am y bws . . . a finna'n bictiwr del wrth gwrs . . . ac mi fydd Iwan yn eistedd yn glòs glòs wrth fy ochr i ar y sedd . . . ac mi fyddan ni'n dawnsio hefo'n gilydd trwy'r gyda'r nos . . . ac yntau'n holi ble rydw i wedi bod cyhyd, na welodd o rioed eneth mor ddel â fi . . . ac mi fydd yn rhoi ei freichiau amdana i . . . ac yn fy nghusanu.

Be wna i? Derbyn y gusan a cheisio ei mwynhau? Sut gusan fydd hi? Un run fath ag un Derec Wyn? *Ydi* pob bachgen yn cusanu run fath? Wna i ymateb, ta'i derbyn fel petaswn i'n bolyn lein?

Mi sbonciais ataf fy hun yn sydyn. Dew! Mi roedd y dŵr fel llyn canol gaeaf! Brrr! Roedd mynyddoedd o groen gwydd ar fy nghorff a nhraed i'n prysur droi'n biws!

Roeddwn i'n dal i freuddwydio am noson yng nghwmni Iwan pan roddais i draed simsan ar y mat bach a thrio tynnu'r plwg run pryd. Camgymeriad! Rhywsut fe lithrodd y mat bach ar y linoliwm ac mi ddisgynnais inna'n lleden dindrwm wrth ochr y bath. Roedd y glec fel daeargryn!

Wyddwn i ddim prun ai melltithio ta crio wnawn i fel y saethodd y boen i bob rhan o nghorff i.

'Be sy'n digwydd i fyny 'na?' holodd Nain o waelod y grisiau. 'Wyt ti wedi torri rhywbeth?'

'Dim ond fy nghefn . . . a nghoes . . . a phob asgwrn sy gen i,' meddwn i wrthyf fy hun yn lwmp o boen.

'Llithro . . . ddaru . . . mi,' meddwn yn boenus o ddrws yr ystafell molchi.

'Aros yn y dŵr yn rhy hir,' medda Nain. 'Jest y peth i gael annwyd.'

Mi ddaeth yn amser cychwyn o'r diwedd. Mi roedd Iwan yn rêl pishyn yn sefyll ar garreg y drws. Bron cystal â Derec Wyn!

'Cymra di ofal ohoni, Iwan,' medda Nain. 'A dowch adra mewn pryd.'

'Iawn, Mrs Jones,' medda Iwan gan roi winc arna i.

Dew! *Mae* o'n bishyn hefyd!

Mi gerddon ni ochr yn ochr at arhosfa'r bws.

'Bws Garej Las ydi o,' eglurodd Iwan. 'Hwnnw fyddan

ni'n ei gael bob amser. Oes 'na le da am ddisgo yn dy ymyl di?'

'Imperial,' meddwn i. 'Iawn. Digon o hwyl.'

Mi eisteddais wrth ei ochr yn y bws. Mi roedd Carys a'r gennod eraill i gyd yno hefyd, a phawb yn galw 'Hylo, Gwenno' fel pe buasen nhw'n fy adnabod erioed.

Lle tebyg iawn i'r Imperial oedd Plas Bont, ond mai coch oedd y seddau a'r papur wal, yn lle du. Ond roedden nhw'n llym felltigedig yno. Archwilio'r bechgyn i gyd . . . eu pocedi siacedi a throwsusau a chymryd sigarennau a chyllyll oddi arnyn nhw. Pawb i'w cael yn ôl y peth diwethaf cyn mynd adra.

'Trwbl wedi bod yma,' medda Iwan. 'Chwara'n saff rŵan, tê?'

Mi roedd Iwan yn andros o symudwr ar y llawr dawnsio, ond mi roeddwn i fel procer o stiff ar ôl y codwm.

'Syrthio heno 'ma,' meddwn i'n eglurhad wedi dych-welyd at y bwrdd. 'Wrth ddŵad o'r bath!'

'Yn borcyn debyg?' medda Gwenan. 'Biti na fuaset ti yno, Iwan.'

Gwenu'n wannaidd ddaru mi, tra oedd pawb yn eu lladd eu hunain yn chwerthin.

'Tyrd i ddawnsio eto,' medda Iwan er mwyn fy achub o'r tynnu coes. (Taswn innau heb agor fy ngheg, tê.)

Roedd grŵp 'Siencyn Dryw' yn ardderchog. Recordiau fyddai ganddon ni yn yr Imperial, ac mi roedd yn grêt cael dawnsio i grŵp go iawn.

'Mwynhau dy hun?' gwaeddodd Iwan yn fy nghlust. 'Grŵp da, yn tydi?'

'Grêt,' meddwn i.

Dew! Mi fuasai Siw yn ei mwynhau ei hun yma hefyd . . . a Prysor a Derec Wyn. Ond doeddwn i ddim am feddwl am Derec Wyn heno, ddim â minnau yn fy mwyn-hau fy hun hefo Iwan.

Ddaru o ddim tynnu'i lygaid oddi arna i trwy'r gyda'r nos. Ac er imi sbïo'n ymholgar i gyfeiriad Carys unwaith neu ddwy, fedrwn i ddim canfod ei bod hi'n malio dim chwaith. Roedd hi'n dawnsio a chwerthin hefo Mei.

Mi ymlaciais dipyn bach a dechrau fy mwynhau fy hun o ddifrif. A ddaru mi ddim symud i ffwrdd chwaith pan roddodd Iwan ei fraich amdana i wrth y bwrdd a'm gwasgu ato, er bod 'na ryw lais bach yn dweud y dylwn i am mai Derec Wyn ydi nghariad go iawn i. Ond os ydi o allan hefo Mandy Webb . . .

'Ogla neis arnat ti,' medda Iwan yn fy nghlust.

'Oes, does?' meddwn i gan hanner chwerthin wrth gofio am fy anrheg i Nain.

'Be di'r jôc?' gofynnodd.

'Dim byd,' meddwn i er bod giglan yn byrlymu yn fy ngwddf.

'Ddoi di allan fory?' gofynnodd.

'Wn i ddim,' meddwn i wedi meddwi'n lân wrth feddwl fod gen i *ddau* gariad rŵan.

Roeddwn i'n hapus braf ar y ffordd adra. Mi eisteddais ar y sedd ôl a theimlo braich Iwan yn dynn amdana i . . . ac mi roddais fy mhen yn braf ar ei ysgwydd.

'Paid â bod yn ara, Iwan,' gwaeddodd rhai o'r bechgyn. 'Rho gusan iddi hi, was.'

(On'd ydi hogiau'n niwsans, yn enwedig pan nad oes ganddyn nhw gariad eu hunain?)

Gwenu ddaru Iwan a thynhau'i fraich amdana i.

'Dydw i ddim yn un i ruthro pethau, hogia,' medda fo. 'Gŵr bonheddig, yn gwybod sut i drin merch, dyna ydw i.'

Mi ddechreuodd y bechgyn chwibanu a churo'i traed.

'Llai o'r sŵn 'na, neu mi gewch i gyd gerdded,' bygythiodd y gyrrwr.

Mi ddaeth Iwan â mi at garreg y drws. Roeddwn i'n hanner gobeithio . . . ac yn hanner ofni hefyd, y buasai'n rhoi cusan imi yn y fan honno . . . wel, roedden ni ar ein pen ein hunain rŵan, on'd oedden? Ond canu cloch y drws ddaru o a dweud,

'Mi wela i di fory, te. Mi ddoi, on'd doi?'

Mi agorodd Nain y drws cyn imi ateb.

'Fan'na rwyt ti,' medda hi. 'Amsar i tithau fynd adra, Iwan.'

Be wna i fory? Mynd, ta peidio?

Dydd Sul, Awst 19eg.

Rydw i yma ers wythnos, ond mae hi wedi mynd yn reit sydyn!

'Mi awn ni i'r capel,' medda Nain. 'Ioan Pugh. Pregethwr sy'n credu yn yr hen werthoedd a chosb pan mae hi'n ddyledus.'

'Ew, Nain!' meddwn i'n syn. 'Fydda i byth yn mynd i'r capel.'

'Hen bryd iti ddechra, ta,' medda Nain yn sur. 'Diffyg parch a threfn yn rhemp acw. Rydw i'n synnu at dy dad.'

'Fydd 'na neb o'n ffrindia i'n mynd,' meddwn i'n obeithiol. 'Cha i ddim aros gartra i wneud cinio?'

'Rho ffrog, nid trowsus, rhag iti wneud sioe ohonot dy hun,' medda Nain yn galon galed.

Rargol. Fûm i ddim yn y capel ers wn i ddim pa bryd. Gwasanaeth Nadolig, am wn i. Fyddan ni byth yn colli hwnnw am fod Mam yn unawdydd hefo'r côr.

Nid nad ydw i'n credu ychydig bach yn y Beibl . . . pan fydda i'n meddwl am y peth. Mae *rhywun* wedi gwneud y byd 'ma, does? Na, medda Siw, jest digwydd ddaru fo. Bang fawr. Neu fel rhywun yn chwythu balŵn, a honno'n aros yn chwyddedig am byth!

Mi fydda i'n cael pwl o bendroni weithiau. Pan fydda i'n edrych allan ar yr ardd ar fore o wanwyn . . . a gweld y dail yn blaguro'n newydd ar y brigau a'r Genhinen Pedr yn glewtiau melyn yn y border. Ac mi fydda i'n credu'n siŵr fod 'na Dduw yn rhywle, a hwnnw wedi rhoi'r pethau yma inni yn union fel mae o'n 'i ddweud yn y Beibl.

Ac yna mi ddaw Llŷr fel bwled i'n llofft gan smalio'i fod o'n Indiad Coch neu'n ofodwr neu rywbeth gwirion arall, ac mi fydd y funud o feddwl yn llithro oddi arna i mewn diflastod llwyr wrth i Llŷr weiddi'i fod o newydd fy saethu, ac fy mod i'n farw gorn. Brodyr!

Ys gwn i sut ma'n nhw'n gwneud hebdda i gartre? Ydyn nhw'n gweld fy ngholli? Mam a Dad a Llŷr? Wrth gwrs, does dim disgwyl i'r babi deimlo dim. Does gan hwnnw ddim diddordeb ond yn ei sŵn ei hun. Mi deimlais i dwtsh bach o hiraeth wrth gofio amdanyn nhw, ond ei ysgwyddo o'r neilltu ddaru mi, a chyfeirio fy meddwl at Iwan . . . (a Derec Wyn, wrth gwrs!)

Peth braf ydi cael dau fachgen â diddordeb ynddoch chi. Gwneud ichi deimlo'n gymylog hapus. Chlywais i run gair o'r bregeth, dim ond ambell i floedd danllyd fel yr âi Ioan Pugh i stêm!

'Pregeth dda,' medda Nain yn fodlon fel y cerddon ni'n ôl adre. 'Digon o fygwth tân a brwmstan os nad ydi pobl yn edifarhau. A dyna sydd ei eisio ar yr oes fodern 'ma. Dysgu sut i fyhafio iddyn nhw. Meddwl am ddim ond am eu pleser eu hunain.'

Wel, mae Nain wrth ei bodd pan mae hi ar gefn ei cheffyl, felly gadael iddi dantro ddaru mi a chilio'n ôl i'm breuddwydion.

Roeddwn i'n cyfarfod Iwan y pnawn 'ma . . . ac wfft i Derec Wyn. (A Mandy Webb.) I ble'r aen ni tybed?

Iwan a minnau. Mi droais y geiriau yn fy meddwl. Oedden nhw'n swnio'n well na . . . Derec Wyn a minnau? Rhywsut, fedrwn i ddim credu hynny, er fy mod i'n fflam-goch grac wrth feddwl am Derec Wyn a Mandy hefo'i gilydd a finnau yn fan'ma hefo Nain. Ac os oedd Derec Wyn yn ei fwynhau ei hun hefo Mandy, mi fedrwn innau wneud yr un peth hefo Iwan, yn medrwn? Fedrai neb weld bai arna i am hynny.

Jest ffrindiau. Ac mi roedd Iwan yn hwyl. Tynnu coes o hyd. A phetasai fo'n trio fy nghusanu, wel, cusan fach ddiniwed rhwng ffrindiau fuasai hi, tê?

Roeddwn i wedi llwyddo i dawelu fy nghydwybod erbyn inni gyrraedd y tŷ.

'Nain,' meddwn i. 'Rydw i'n mynd am dro hefo Iwan ar ôl cinio. Wedi gofyn imi neithiwr.'

'Rwyt titha fel y gweddill ohonyn nhw,' medda Nain. 'Meddwl am ddim ond plesera.'

Ond ddaru hi ddim sefyll yn gadarn yn erbyn y peth am mai dydd Sul oedd hi fel roeddwn i'n ei ofni, dim ond agor y clo a cherdded i mewn i'r tŷ yn reit dawedog.

'Ôl reit imi fynd felly, Nain?' meddwn i. 'Fyddwch chi'n iawn ar eich pen eich hun?'

'Bydda siŵr,' medda hi'n siort. 'Ma rhywun fy oed i wedi gorfod dysgu bod ar ei phen ei hun.'

'Ddowch chi hefo ni, ta?' gofynnais. (Rargol! Mi roeddwn i'n mentro wrth ofyn y ffasiwn beth. Beth petasai hi'n cytuno?)

'Hy!' medda Nain. 'Paid ti â meddwl y medri di daflu llwch i'n llygaid i. Dŵad hefo chi, wir!'

A dyma hi'n troi i baratoi cinio hefo gwên styfnig ar ei hwyneb.

Mi alwodd Iwan amdana i tua hanner awr wedi un.

'Barod?' medda fo oddi ar stepan y drws.

Ew! Mi roedd o'n ddel hefo'r haul yn sgleinio ar ei wallt melyn. Rydw i'n dechrau meddwl fy mod i'n licio gwallt melyn yn well na dim . . . os ydi o gan fachgen, tê, nid gan ferch. Gwallt melyn sydd gan Mandy Webb!

'Mi fydda i'n eich disgwyl i de,' medda Nain. 'Peidiwch â bod yn hwyr.'

Rydw i wedi penderfynu fod Nain yn waeth na Mam a

Dad hefo'i gilydd. Mae'i 'pheidiwch â bod yn hwyr' hi fel tôn gron!

Mi aethon ni i lawr at y cei, a chroesi'r bont bren wedyn at ymyl y Clwb Golff a Thraeth Wern. Ac yna mi eisteddon ni ar fainc unig a wynebai'r traeth a siarad am yr hyn a'r llall . . . am ein bywydau . . . am yr ysgol . . . beth oedden ni am ei wneud wedi tyfu i fyny a ballu. Ac mi roeddwn i'n meddwl nad oedd yna ddim byd brafiach nag eistedd hefo pishyn o fachgen deniadol ar fainc wrth lan y môr.

Mi afaelodd Iwan yn fy llaw . . . ac o dipyn i beth mi estynnodd ei fraich am fy nghanol. Mi roes fy nghalon i dro sydyn. Oedd o am fy nghhusanu? Doeddwn i ddim yn siŵr a oedd fy nerfau i'n ddigon cryf i ddal carwriaeth ddwbl.

Ac mi roeddwn i'n dal i gredu ei bod hi'n nefoedd eistedd yng nghwmni pishyn, yn enwedig â hwnnw hefo'i fraich amdana i a'i lygaid yn syllu'n gariadus i'm hwyneb.

'Rwyt ti'n ddistaw iawn,' meddai'n sydyn. 'Deg ceiniog amdanyn nhw.'

'Deg ceiniog am be?'

'Dy feddyliau di, siŵr iawn. Ta oeddet ti bron â llewygu wrth deimlo mraich i amdanat ti . . . ei theimlo hi'n tynhau a thynhau . . . a finna'n mynd i dy gus..a..n..u.'

A dyma fo'n fy ngwasgu ato'n sydyn nes roedd hynny o anadl oedd gen i wedi'i ddisbyddu'n llwyr ac yn dechrau fy hanner bwyta hefo cusanau . . . a gadael i'w law ddringo'n araf i fyny nghlun.

'Dos o'ma'r ffŵl,' meddwn i'n danllyd gan roi hwyth iddo fo nes roedd o'n lleden ar draws y fainc a neidio ar fy nhraed yn fflamgoch.

'Be di'r ffws?' gofynnodd. 'Rwyt ti eisio imi dy gusanu, on'd oes? Dyna be roeddet ti'n ei ddisgwyl, tê? Ma gennod i gyd run fath.'

'Ma 'na wahaniaeth rhwng cusan a beth roeddet ti'n ei drio'i wneud,' meddwn i.

'Iawn. Mi wnes gamgymeriad, ta. Sut oeddwn i i wybod?' meddai'n wgus.

'Yli, dŵad am dro yn ffrindiau wnes i. Ddim i dy gael di'n neidio arna i fel'na.'

'O!' Mi syrthiodd yn ôl ar y fainc gan ddechrau chwarae'r ffŵl. 'Rydw i wedi nghlwyfo i'r byw. Gwrthod fy nghusan . . . a hynny ar bnawn Sul, a dy Nain wedi rhoi ei bendith a phopeth.'

Wel, er iddo fo drio gwamalu, doeddwn i ddim yn licio'r hyn ddywedodd o am ddisgwyl cusan, na'r ffordd roedd ei law wedi dechrau crwydro chwaith.

Dipyn o foi, ddywedodd Carys, ac mi roedd hi'n dweud y gwir hefyd.

'Rydw i am fynd adra,' meddwn i yn reit isel fy nheimladau.

'O c'mon, Gwenno,' medda fo'n sydyn. 'Dim angen pwdu, yn nac oes? Hwyl oedd o siŵr.'

Mi ddechreuodd gerdded yn reit bwdlyd ei hun wrth fy ochr i. Roeddwn i'n dechrau difaru braidd am imi golli'n limpin. Efallai mai gor-ymateb ddaru mi. Ond mi roedd Siw a minnau wedi siarad digon am hogiau'n mynd yn rhy bell ac am enethod yn gadael iddyn nhw. Ac roedden ni wedi penderfynu ein bod ni'n mynd i ddisgwyl nes roedden ni mewn cariad go iawn . . . ac ar fin priodi.

'Sori, Gwenno,' medda Iwan o'r diwedd.

'Mi fuaswn i'n meddwl wir,' meddwn i'n ffwrbwt.

'Ffrindia?' Mi afaelodd yn fy llaw a gwenu'n neis arna i.

Roeddwn i ar gyfyng-gyngor sut i'w ateb. Ond efallai y buasai Nain yn holi a stilio eisio gwybod pam roedden ni wedi ffraeo . . . a fedrwn i ddim meddwl am egluro iddi hi.

'O . . . iawn, ta. Ffrindia. Ond iti dy fyhafio dy hun a dim nonsens. Dallt?'

'Dallt,' medda fo a'i law ar ei galon. 'Ond doeddwn i ddim gwaeth â thrio, yn nac oeddwn? Rhai gennod yn disgwyl, ysti.'

'Neb rydw i'n ei hadnabod,' meddwn i'n swta.

Ac mi gyrhaeddon ni dŷ Nain yn weddol ffrindiau. Ond fedrwn i ddim peidio â sniffian crio dipyn bach wedi imi fynd i fy ngwely y noson honno. Does 'na ddim byd ond siom i'w gael hefo hogiau, yn nac oes?

Dydd Llun, Awst 20fed.

Gwastadedd diddim o ddiwrnod. Nain yn anodd ei thrin, finna'n hiraethu am Derec Wyn . . . ac yn dal braidd yn ddig wrth Iwan.

Biti na fuasai'r tair wythnos ar ben!

Dydd Mawrth, Awst 21ain

Mi ffoniais Siw ben bore. Mi fuaswn wedi crafangio i fyny'r wal heb gwmni rhywun heblaw Nain.

'Ddoi di? Heddiw?'

'Wel . . .'

'Plîs, Siw. Rydw i'n cnoi f'ewinedd i'r byw yma.'

'Beth am y boi 'na? Iwan?'

'Mi ddeuda i wrthyt ti pan ddoi di yma.'

'Wir? Mi ddo i pnawn 'ma os medra i. Aros imi ofyn i Mam.'

Mi gyrhaeddodd Siw hefo'r bws ddau.

'Wel, tywallt dy fol. Deuda'r hanes,' medda hi cyn disgyn oddi ar y bws jest.

'Fedra i ddim yn fa'ma. Rhag ofn i rywun glywed.'

'*Sgribliwns!*' medda Siw'n syn. 'Be ddigwyddodd?'

Mi gerddon ni am yr afon. Roeddwn i ar binnau braidd rhag ofn inni weld Iwan ar ein ffordd. Doeddwn i ddim yn siŵr iawn sut roeddwn i am ei gyfarch, yn enwedig â Siw hefo mi.

'Fuost ti hefo fo? Nos Sadwrn?' holodd Siw cyn gynted ag y cyrhaeddon ni lan yr afon.

'Do. Grŵp ardderchog ac Iwan yn ddawnsiwr grêt.'

'Wel?'

Mae Siw yn rêl holwraig pan ddechreuith hi.

'Nos Sadwrn yn iawn. Pnawn Sul oedd y drwg.'

'Be ddigwyddodd?'

'Mynd am dro . . . a dyma fo'n . . .'

'Be? Dyma fo'n be?' holodd Siw'n gynhyrfus.

Mi roes i bwniad reit gïaidd iddi.

'Shhh! Dacw fo yn fan'cw. Mae o'n dŵad ffordd hyn.'

'Deuda wrtha i cyn iddo fo ddŵad. *Brysia*!'

Mi fedrwn weld fod Siw ar dân eisio gwybod, ond fedrwn i ddim meddwl am ddechrau adrodd yr hanes ac Iwan bron â'n cyrraedd ni.

'Fedra i ddim rŵan.'

Roedd wyneb Siw yn fôr o siom.

'Hiya, gennod,' medda Iwan fel pe na buasai dim wedi digwydd.

A dyma fo'n gollwng ei droli ac yn pwyso'n braf arni.

'O . . . hylo,' meddwn i rhwng swil a siort.

'A beth ma dwy ddel fel chi yn ei wneud yma ar bnawn mor braf?' gofynnodd Iwan. 'Disgwyl amdana i?'

Digwilydd, tê? Fel pe buasen ni'n stelcian yma yn 'i ddisgwyl *o*!

'Dydw i ddim wedi gweld Siw ers dyddia,' meddwn i'n sych. 'Ac mi ddiolcha i iti fynd inni gael llonydd.'

'Tempar! Tempar!' medda fo gan wenu. 'Ydi hi fel hyn o hyd, Siw?'

Mi roedd gen i gywilydd ohonof fy hun. Doedd dim rhaid imi fyhafio fel'na, yn nac oedd? A finna wedi gaddo dal yn ffrindiau wrth ffarwelio pnawn Sul.

Roedd llygaid Siw wedi llyncu'i hwyneb, ac mi roedd hi'n sbïo o un i'r llall fel pe buasai hi ar goll yn lân.

'Sori,' meddwn i'n surbwch braidd. 'Ond ma Siw a fi eisio siarad.'

'Iawn, ta', medda fo'n wên run fath. 'Mi bicia i drosodd heno. Ella y doi di allan.'

'Ella,' meddwn i'n gynnil.

'Hwyl, ta.' Ac i ffwrdd â fo gan chwibanu'n braf.

'Dew! Mi roeddet ti'n bigog,' sylwodd Siw. 'Ac yntau'n gymaint o bishyn hefyd. Bwrw dy fol cyn imi ffrwydro!'

'Wel . . . mi aethon ni am dro bnawn Sul. I lawr at y cei a thros y bont ac eistedd wedyn ar fainc ymhell bell o bobman. . .'

'Ia . . .'

'Ac mi roedd o'n gafael yn fy llaw . . . yn rhoi'i fraich amdana i . . . ac yn sbïo'n gariadus neis i fy wyneb i . . .'

Mi fedrwn weld fod Siw yn llyncu fy ngeiriau, a rywsut fedrwn i ddim peidio ag ymestyn y peth yn stori iawn.

'Ac mi roedd yr haul yn tywynnu'n neis ar y dŵr. Yn sgleinio fel arian newydd, ysti . . . ac mi roedd ei fraich yn dynn dynn amdana i . . .'

Mi symudodd Siw fel pe buasai haid o forgrug yn pigo'i phen ôl.

'Ac mi roedd 'na awel fach ysgafn o'r môr . . . dim oer, ysti, ond cynnes neis . . .'

'Be arall wyt ti'n ei ddisgwyl yng nghanol ha, yr het?' medda Siw'n danboeth. '*Be ddigwyddodd?*'

'Rydw i'n dweud wrthyt ti, on'd ydw?'

'Nac wyt,' medda Siw yn bendant. 'Paldaruo am awel a môr a haul. Dydw i ddim eisio clywed am y rheiny. *Deuda be ddigwyddodd* cyn imi drengi?'

'Mi neidiodd arna i a nghusanu fel pe buasai fo ar lwgu . . . ac mi ddechreuodd ei law o grwydro . . . i fyny nghlun . . .'

'*Gwenno*! Rioed! Be wnest ti?' Roedd llais Siw bron yn sgrech.

'Hwyth iddo fo nes roedd o'n lleden a rhoi blas fy nhafod wedyn.'

'Www!' medda Siw. 'Ddaru Prysor rioed drio hefo mi. Ddaru Derec Wyn?'

'Naddo siŵr,' meddwn i. 'Ma Derec Wyn yn hogyn manesol . . . neis.'

Mi ddaeth 'na lwmp sydyn i fy ngwddf.

'Welaist ti o wedyn? Oedd y Mandy Webb 'na hefo fo?'

'Oedd,' medda Siw yn foel.

'Be oedden nhw'n 'i wneud?'

'Dim byd arbennig. Stryd . . . Clwb Nofio . . . caffi un noson. Golwg reit ddiflas ar Derec Wyn. Wedi cael digon, medda fo wrth Prysor. Mandy fel gelen yn gludio wrth ei ochr o hyd. Dim munud i'w gael, medda fo.'

Mi fedrwn deimlo ysgafnder rhyfedd yn lledaenu trwy nghorff ac mi wyddwn fod gwên fel haul Awst ar fy wyneb i. Pa ots am Iwan er ei fod o'n rêl pishyn? Derec Wyn ydi nghariad i.

Mi alwodd Iwan fel yr addawodd gyda'r nos. Ond gwrthod mynd allan ddaru mi. Rhaid imi fod yn ffyddlon i Derec Wyn, yn bydd?

Dydd Mercher, Awst 22ain.

Mynd i'r siop i Nain y bore 'ma . . . gweld Iwan eto.

'Ddoi di allan heno, ta?' medda fo. 'Wyt ti ddim wedi llyncu mul, yn nac wyt?'

'Nac ydw, siŵr,' meddwn i. 'Ond . . . wel . . . wn i ddim. Derec Wyn yn dŵad fory, tê?'

'Dim fo piau chdi, naci? Gadw di mewn cadwynau . . . ddim am iti siarad hefo neb . . .'

'Dim o'r fath beth,' meddwn i'n chwyrn.

Mi nodiodd Iwan yn wybodus.

'Ofn o sgin ti, ta?'

'Ffŵl. Nac oes, siŵr.'

'Swnio fel'na i mi.'

Mi fedrwn deimlo fy hun yn gwanhau. Wrth gwrs, doedd gan Derec Wyn ddim hawl fel'na arna i, yn nac oedd? Dim hawl i'm rhwystro rhag cael bechgyn yn ffrindiau a dim hawl i ddeddfu i ble'r awn i nac hefo pwy chwaith. Ac mi fuasai wedi medru gwrthod mynd hefo Mandy Webb, waeth be ddywedai'i fam, yn buasai?

Mi lwyddais i'm perswadio fy hun.

'Reit, ta. Mi ddo i.'

'Caffi Dafydd heno. Hefo'r criw.'

'Os bydd Nain yn iawn ar ei phen ei hun, tê?'

Ond roedd Nain yn berffaith fodlon pan soniais wrthi.

'Ia, dos di. Fedr neb ddweud nad wyt ti wedi cael gwyliau gwerth chweil tra wyt ti yma. Rhyddid i dy fwynhau dy hun. Dim hefo dy drwyn ar y maen fel rwyt ti gartra.'

Mi fedrwn weld fod Nain yn ei pharatoi ei hun erbyn ymweliad nesaf Dad. Peryg mai sgarmes fuasai hi eto. Nain yn erbyn Dad . . . a thrwyddo fo Mam . . . yn enwedig Mam. Wn i ddim pam na fedr teuluoedd fyw'n gytûn.

Fedra i ddim dweud imi fwynhau fy noson hefo Iwan er bod pawb yn reit groesawgar yn y caffi. Mi eisteddais wrth ochr Carys ac ymuno yn y sgwrs am nos Sadwrn . . . a'r dawnsio . . . a rhagoriaethau 'Siencyn Dryw'.

Mi roes Carys bwniad dirgel imi pan oedden ni ar gychwyn adre.

'Ddaru fo fyhafio?'

'Byhafio?' Fedrwn i ddim peidio â gwrido.

'Cadw'i facha iddo'i hun?'

'O . . . do.'

'Mi fetia i ei fod o wedi trio. Gwneud hefo pawb.'

'O!'

'Iawn wedyn, wedi iddo weld ble mae o'n sefyll.'

'O!'

Oedd hi'n meddwl fy mod i wedi dangos golau gwyrdd iddo fo? Dim ffeiars!

'O . . . mae o'n dallt yn iawn,' meddwn i.

'Iawn felly, tê?' medda hi'n gyfeillgar.

Mi wenais innau'n ôl er fy mod i'n teimlo braidd yn

annifyr. Ond mae'n siŵr mai trio bod yn gyfeillgar roedd hi. Ac wedi rhoi gair o rybudd mewn pryd.

Mi fu Iwan yn rêl gŵr bonheddig ar y ffordd adra. Dim hyd yn oed afael yn fy llaw. Rhag ofn iddo gael y drefn, medda fo. Fedrwn i ddim peidio â chwerthin chwaith.

'Ffŵl!'

Sawl gwaith rydw i wedi dweud hynny wrth Iwan. Ffŵl! Ffŵl ydi o hefyd, wrth ei fodd yn tynnu coes a chael hwyl. Ond mae'n well gen i Derec Wyn . . . ac mi wela i o fory. Hwrê!

Chysga i run winc!

Dydd Iau, Awst 23ain.

Ddaru mi ddim agor fy llygaid trwy'r nos. Ddim nes roedd hi bron yn naw o'r gloch.

'Bore pawb pan godo,' medda Nain yn sych fel y rhuthrais i mewn i'r gegin.

'Cysgu'n hwyr,' meddwn i. 'Pam na fuasech chi'n gweiddi arna i?'

'Rheitiach iti gael dy gwsg,' medda Nain. 'Chei di ddim llawer o hwnnw unwaith yr ei di adra.'

Pa bryd ma Dad yn dŵad, tybed? Ddaw Mam hefo fo? Mi fydd 'na rycsiwns os daw hi.

'Dim ond tost a marmalêd i mi,' meddwn i gan lygadu'r badell yn sefyll yn barod ar y stof.

'Ia . . . wel,' medda Nain. 'Ma bacwn wedi mynd yn ddrud ofnadwy . . .'

'Ew ydi,' meddwn i. 'Allan o bob rheswm, Nain. Ylwch arian ydach chi'n 'u sbario wrth wneud brecwast plaen.'

'Hrmph!' o dan ei gwynt oedd unig ymateb Nain.

'A ma'r hogyn cariad 'na sy gen ti'n dŵad heddiw,' medda hi wrth yfed ei the.

'Derec Wyn ydi'i enw fo, ychi,' meddwn i. (Jest rhag ofn ei bod hi wedi anghofio! Hogyn cariad, wir!)

Mi olchais y llestri a chludo glo ar y tân a glanhau'r gegin fyw nes roedd pobman yn sgleinio.

'Rwyt ti'n hogan reit dda,' medda Nain. 'Tynnu ar f'ôl i. Gwybod sut ma llnau a chael pobman yn deidi.'

Roeddwn i wedi gorffen popeth erbyn un ar ddeg ac yn dechrau cnoi fy ewinedd wrth ddyfalu beth arall i'w wneud i lenwi'r amser. Wn i ddim beth fuaswn i'n 'i wneud yma oni bai fy mod i'n adnabod Iwan a bod Siw wedi dŵad yma ddwywaith . . . ac fy mod i'n disgwyl Derec Wyn. Does 'na ddim byd i'w wneud yma, ac mae'r gyda'r nos fel blwyddyn!

Mae 'na un peth yn fy mhoeni dipyn bach. Ddylwn i ddweud wrth Derec Wyn am Iwan? Nid bod yna ddim arbennig i'w ddweud. Dim ond fy mod i wedi bod hefo criw ohonyn nhw ym Mhlas Bont. Doedd 'na ddim drwg yn hynny. Ac roedd perffaith hawl gen i. Ond fedra i ddim peidio â theimlo mymryn bach o gydwybod yn pigo o'm mewn.

Roeddwn i'n disgwyl wrth arhosfa'r bws ymhell cyn iddo gyrraedd.

'Hiya, Gwenno,' medda Derec Wyn a'i wyneb yn wên i gyd.

Roeddwn innau'n gwenu fel giât hefyd . . . nes y gwelais i wep Mandy Webb tros ei ysgwydd.

'Be ma honna yn ei wneud yma?' meddwn i'n wenfflam.

'Mandy thought she'd like to come and see you,' medda fo'n ymddiheurol.

'Wel, dydw i ddim eisio'i gweld hi . . .' cychwynnais.

'Gwenno! You don't mind my coming with Derec Wyn, do you? I did so want to see you. I've only got another week, you know.'

'Hello,' meddwn i rhwng fy nannedd. 'No, of course I don't mind.'

Ond mi roedd ots gen i. Ots crasboeth! Roeddwn i'n teimlo i'r byw. Doeddwn i *byth* am faddau i Derec Wyn.

Byth! Ac mi fuaswn i'n licio tynnu'r wên ffals 'na oddi ar wyneb Mandy Webb hefyd . . . ei rwbio yn y baw . . . rhedeg fy ewinedd ar hyd-ddo . . .

Roeddwn i'n berwi o'm mewn. Berwi trosodd hefyd.

'Be gebyst oeddet ti eisio dŵad â hi?' meddwn i wrth Derec Wyn.

Edrych yn annifyr ddaru fo a thrio ateb yn Saesneg.

'There wasn't much you could do today, was there, Mandy?'

'No . . . and since I'm staying with Derec Wyn now . . .'

'Staying with Derec Wy . . .?' Roedd fy llais i'n dianc oddi wrtha i.

'Oh, yes. Didn't you know? Until I go back.'

Symud ei draed yn anniddig ddaru Derec Wyn.

'Syniad Mam, ysti,' medda fo'n isel.

'Siŵr iawn,' meddwn i'n sur. 'So nice for you, Mandy,' meddwn wedyn. 'I'm sure you're enjoying it.'

Gwenu ddaru hi.

'Everbody's so kind.'

'I bet they are,' meddwn i wrthyf fy hun. 'I bloody bet they are!'

'Where shall we go?' holodd Derec Wyn. 'Down to the river?'

Ac i lawr yno yr aethon ni. I be, wn i ddim. Pa bleser oedd bod yn dri yn lle dau? Yn enwedig a chenfigen yn cnoi'n wynias o'm mewn.

Wel, mi driais i beidio â dangos i run o'r ddau mor sâl roeddwn i'n teimlo tu mewn.

'And are you enjoying your stay with your gran?' gofynnodd Mandy.

'Oh, yes,' meddwn i.

'A bit boring, I expect? Only old people to talk to.'
Hy!

'Not at all,' meddwn i. 'I've made a lot of friends. Plenty

of young people here. Discos . . . nights out . . . a café where we all meet . . .'

'Oh!' medda hi.

'O,' medda Derec Wyn.

Roeddwn i'n gweddïo y buasen ni'n gweld Iwan ar ein ffordd. Mi fuasai hynny'n dangos iddyn nhw. Ond dyna fo, pan fydda i jest â marw eisio gweld rhywun, fyddan nhw byth ar gael.

Anialwch o bnawn! Mandy Webb yn siarad fel melin . . . minnau'n brolio'r amser ardderchog roeddwn i'n ei gael yma . . . Derec Wyn yn dawedog . . . a Nain wedyn yn holi a stilio eisio cael hanes bywyd Mandy Webb.

Mi ddaeth yn amser iddyn nhw fynd o'r diwedd. Mi fu jest imi â chau'r drws wrth eu sodlau a gadael llonydd iddyn nhw fynd at y bws eu hunain. Ond ailfeddwl ddaru mi. Doeddwn i ddim am ddangos fy nghlwyfau i neb.

Lwcus imi ailfeddwl hefyd. Jest pan oedden ni'n mynd allan trwy'r drws, pwy oedd yn dŵad allan o'i gartre tros ffordd ond Iwan.

'Hiya, Iwan,' meddwn i'n od o gyfeillgar. 'Are we going out tonight?'

Mae'n rhaid imi gyfadda nad ydi Iwan yn ddwl o bell ffordd. Mi edrychodd o Derec Wyn i Mandy gyda gwên ar ei wyneb.

'Of course,' medda fo. 'About seven. I thought we'd go to see that film.'

Roedd wyneb Derec Wyn yn bictiwr.

'Sorry,' meddwn i fel pe buaswn i newydd sylweddoli. 'I haven't introduced you, have I? Mandy Webb . . . and Derec Wyn, one of the boys from school. Just seeing them back to the bus.'

Roedd Mandy Webb yn 'ŵio' ac 'aio' yr holl ffordd at arhosfa'r bws, ac yn holi'n sebonllyd am Iwan a'i ffrindiau. Mi froliais innau nes roeddwn i'n chwys!

Ond cerdded yn ddistaw roedd Derec Wyn ac mi es

innau'n reit dawedog wedi cyrraedd arhosfa'r bws hefyd. Doedd 'na ddim byd arall i'w ddweud rywsut. Dim fedrwn i'i ddweud a Mandy Webb yn rêl prep wrth fy ochr i.

'Mi wela i di, ta,' medda Derec Wyn yn ansicr fel y cyrhaeddodd y bws.

Codi f'ysgwyddau'n ddi-hid ddaru mi.

'Mae'n siŵr . . . yn yr ysgol.'

'Ond . . . pnawn Iau nesaf?'

'Wn i ddim fydda i ar gael,' meddwn i gyda blas. 'Good-bye, Mandy. So nice to see you.'

Mi gychwynnodd y bws, ond fedrwn i ddim gweld a oedden nhw'n chwifio'u dwylo ai peidio. Dim trwy'r dagrau oedd yn llenwi fy llygaid.

Dydd Gwener, Awst 24ain.

Chysgais i run winc. Roedd hi wedi darfod rhwng Derec Wyn a minnau. Eitha gwaith hefyd. Byw hefo Mandy Webb! Wel . . . byw yn yr un tŷ, tê? A dŵad â hi yma ar ein pnawn arbennig ni. Na, wnawn i byth faddau iddo fo.

Dim ots. Roedd Iwan gen i. Iwan oedd yn llawn hwyl a miri . . . wedi iddo ddallt ble'r oedd o'n sefyll. Iwan oedd yn bishyn hefo'i wallt melyn a'i lygaid brown. Iwan.

Sniffian crio ddaru mi trwy'r nos. Crio am fy mod i wedi ffraeo hefo Derec Wyn a chrio am ei fod o wedi bod mor ddideimlad â dŵad â Mandy Webb hefo fo, ac yntau'n *gwybod* fy mod i'n edrych ymlaen am gael treulio amser ar ein pennau ein hunain. Rydw i wedi digio am byth.

Dim ots fod gen i fachiad arall, ac wedi bod allan hefo fo neithiwr. Yn y pictiwrs. Roedd yn rhaid imi fynd wedi imi wneud sioe gyferbyn â Derec Wyn a Mandy on'd oedd? Er nad oedd fy nghalon i yn y peth. Mewn dim byd, a dweud y gwir.

'Rhywun wedi bwyta dy gaws di?' gofynnodd Nain yn wybodus. 'Y Saesnes dinfain 'na ddoe?'

143

Fedrwn i ddim peidio â gwenu wrth glywed disgrifiad Nain er bod fy nghalon i fel plwm. Ond mi ddisgynnodd fy ngwep i wedyn wrth gofio mor denau a siapus oedd Mandy Webb. Gwisgo jîns fel pe buasai hi wedi'i thywallt iddyn nhw. A dim brychni haul yn agos i'w chroen hi.

'Wnaiff o ddim drwg i Derec Wyn weld fod dewis arall gen ti,' medda Nain. 'Mwynha dy hun. Mae oes gyfan o dy flaen di.'

On'd ydi pobl mewn oed yn ddall? Be 'di'r ots cael oes o fy mlaen os nad ydi Derec Wyn gen i? Waeth imi fynd yn genhades . . . neu . . . neu'n lleian ddim. Diflannu i ddyfnderoedd Affrica . . . byw yng nghanol crocodilod . . . cael fy llyncu'n fyw gan un ohonyn nhw. Mi fydda'n ddrwg gan Derec Wyn wedyn.

Mi fuasai fy hanes i ar y teledu ac yn y papurau newyddion.

'Cenhades enwog wedi'i llyncu gan grocodil. Marw ym mlodau ei dyddiau. Ei gwaith yn amhrisiadwy.'

Mi fuasai'n well imi newid fy addunedau. Mi godais i agor y ces bach a chwilio amdanyn nhw yn oriau mân y bore.

Penderfyniadau Gwenno Jones, pedair ar ddeg oed ond deufis, sydd yn ei llawn bwyll a'i synhwyrau arferol . . . ac a sgrifennwyd ganddi hi ei hun am 10.30 o'r gloch y bore, ar y cyntaf o Ionawr, ar ddechrau blwyddyn dyngedfennol yn ei bywyd.

Ydi o'n werth imi newyd y pennawd? Na, dim â minnau'n teimlo fel rydw i. Mi fydd rhywun yn ei ddarllen o ar ôl imi farw, ac yn pitïo wrth weld bywyd ifanc mor addawol wedi'i ddifetha am byth.

1) Rydw i am garu Derec Wyn tra bydda i byw. *Mae popeth ar ben. Rydw i wedi cyrraedd gwaelodion chwerw bywyd.*

2) Rydw i am weithio'n galetach yn yr ysgol . . . am fod digon ym mhen Derec Wyn a dydw i ddim eisio ym-

ddangos yn dwp. *Waeth imi fod yn dwp ddim bellach. Pa ots, tê, a finnau wedi colli Derec Wyn? A dydw i ddim eisio Iwan!*

3) Rydw i am fynd i weld Nain Tawelfa'n amlach, er ei bod hi'n grintachlyd ac yn finiog ei thafod. *Rydw i wedi BYW hefo hi am jest i bythefnos. Dydi Nain ddim yn ddrwg i gyd.*

4) Wna i ddim ffraeo hefo Llŷr . . . hynny ydi os byhafith o a pheidio â thynnu'n groes. *Dydi Llŷr ddim yma i dynnu'n groes. Mi labyddia i o os ydi o wedi busnesu hefo fy chwaraewr recordiau.*

5) Rydw i am ymdrechu i guddio'n niflastod hefo'r babi newydd. *Mae gen i ormod ar fy mhlât i FEDDWL amdano fo!*

6) Rydw i am gofio am bobl newynog y byd . . . ac am wneud rhywbeth, wn i ddim be eto. *Rydw i am fynd yn genhades, ac am roi fy mywyd i helpu eraill.*

7) Rydw i am lanhau fy llofft bob wythnos . . . ac am gadw fy nillad yn dwt yn y wardrob. *Mae mywyd i'n deilchion. Pa ots am lofft na dillad?*

8) Rydw i am gadw'n heini a byw yn iach . . . er mwyn Derec Wyn a'r sgert ddu! *Waeth imi fwyta brecwast o'r badell ffrio bob bore ddim . . . a rhoi'r sgert ddu i Oxfam!*

9) Rydw i (fedra i ddim peidio â'm hailadrodd fy hun) am garu Derec Wyn tra bydda i byw. *Mae fy hapusrwydd ar ben. Am byth!*

Ffonio Siw. Dim ateb. Bore du, pnawn du a chyda'r nos duach na'r frân. Does gen i ddim stumog i ddim.

Dydd Sadwrn, Awst 25ain.

Does gan yr haul ddim hawl i dywynnu a nghalon innau'n torri. Ond tywynnu mae o. Ac er imi orwedd a'm pen o dan y dillad rhag ei weld o'n sgleinio trwy'r ffenest, codi fu'n rhaid imi.

'Wyt ti am aros yma trwy'r dydd?' gofynnodd Nain gan ddŵad â phaned imi i'r llofft.

Dew! Be ddigwyddodd? *Nain* yn dŵad â phaned i *mi*? Ma'r byd â'i din am ei ben!

Mi godais ar fy eistedd a gafael ynddi'n llegach.

'Hrmph!' medda Nain gan fy llygadu'n graff. 'Dim llawer o hwyl arnat ti'r bora 'ma?'

Mi fedrwn deimlo'r dagrau'n crynhoi tu ôl i'm llygaid.

'Rydw i'n iawn,' meddwn i heb fawr o argyhoeddiad.

'Wedi ffraeo hefo'r hogyn cariad 'na,' medda Nain. 'Dy ben yn dy blu ddoe a heddiw.'

Be fedrwn i'i ddweud, tê?

'Digon o bysgod yn y môr,' medda Nain. 'Rhai gwell, falla.'

Fflamia gorn! Pam mae'n rhaid i bobl sôn am bysgod o hyd?

Ond codi ddaru mi . . . wedi i Nain fynd. Mi sefais o flaen y drych ac astudio fy wyneb. Doedd o ddim yn wyneb *hyll*, yn nac oedd, ond fod cawod o frychni haul arno fo.

Mi sniffiais dipyn bach wrth feddwl am Derec Wyn. Doedd 'na ddim pleser mewn bywyd bellach, ddim â Derec Wyn a finnau wedi ffraeo.

Mi ganodd cloch y drws. Doedd gen i ddim llawer o ddi-ddordeb, ond mi agorais y ffenest i weld pwy oedd yna.

Iwan! A finnau heb godi!

'Hei,' medda fo wrth glywed y ffenest yn agor a fy ngweld innau'n sbecian arno fo. 'Be wyt ti'n 'i wneud? Diogi?'

Mi sylweddolais mai yn fy nghoban roeddwn i a thynnu fy hun i mewn i'r llofft fel nad oedd dim ond fy nhrwyn i yn y golwg.

'Be wyt ti eisio?' gofynnais yn ddigon pigog.

'Dŵad i dy weld ti siŵr,' medda fo'n wên i gyd. 'Trefnu am heddiw.'

146

'Does 'na ddim byd i'w drefnu,' meddwn i. 'Dydw i ddim am ddŵad allan.'

'Wyt ti'n sâl?' gofynnodd.

'Nac ydw, siŵr,' meddwn i'n bigog wedyn. 'Dim am ddŵad allan, dyna i gyd.'

Mi agorodd Nain y drws.

'O, Iwan, y chdi sy 'na,' medda hi'n glên. 'Tyrd i mewn. Ma Gwenno ar 'i ffordd i lawr.'

Mi daflodd Iwan un cip llechwraidd i fyny ata i a winc yn ei sgîl cyn dilyn Nain i'r tŷ.

Wel, er fy mod i'n dalp o ddigalondid ac eisio claddu fy mhen o dan y dillad am weddill y dydd, fedrwn i ddim peidio â theimlo rhyw ysgafnhad o gwmpas fy nghalon. Am fod Iwan yn fy ffansïo, am wn i. A doedd bywyd ddim yn sachliain a lludw, a drain a mieri os oedd bachgen yn eich ffansïo, er nad fo oedd y bachgen iawn.

'Cod dy galon, Gwenno,' meddwn i wrthyf fy hun. 'Efallai na fuasai bywyd lleian yn dy siwtio wedi'r cyfan.'

A'r diwedd fu imi gytuno i fynd am reid beic hefo fo a'r criw y pnawn. Tros bont y cei a heibio i Draeth y Wern. Mynd â'n siwtiau nofio hefo ni . . . a phicnic.

'Mi gei fenthyg beic Heledd, fy chwaer,' medda fo'n glên. 'Dydi hi ddim yn ei ddefnyddio fo rŵan a hithau'n gweithio.'

Dydw i ddim wedi reidio beic o ddifri ers rai blynyddoedd. Byw mewn tre, tê? A dim llawer o le i reidio mhell, heblaw fod Mam yn gweiddi pa mor beryg roedd hi hefo'r traffig fel ag y mae o.

'Pawb yn rhuthro ar eu pennau i uffern,' dyna ddywedodd Nain rywdro. (Ac am unwaith roedd hi a Mam *bron* â chyd-weld!)

Roedden ni am gychwyn am ddau.

'Cyfarfod y lleill i lawr wrth y cei,' eglurodd Iwan.

'Iawn,' meddwn i gan bitïo'n ofnadwy fod y lleidr wedi dwyn fy 'shorts' pinc erstalwm.

Roedd gen i bictiwr deniadol ohonof fy hun yn y rheini. Roedd Derec Wyn yn dotio atyn nhw. Ond doeddwn i ddim am *feddwl* am Derec Wyn nac am adael i'w enw aros eiliad yn fy meddwl. Roeddwn i am fy mwynhau fy hun . . . am ddechrau bywyd newydd . . . hefo cariad newydd, rŵan, wedi imi ddangos iddo nad oeddwn i am ddioddef dim mistimanars.

Mi fedrwn i fy ngweld fy hun. Gwenno Jones, cariad swyddogol Iwan, y pishyn dela yn y lle 'ma. Mi fuaswn i'n treulio pob penwythnos hefo Nain, ac mi fyddai pawb yn yr ysgol, Gwawr a Gwen a Derec Wyn a Prysor, yn methu â deall i ble roeddwn i'n diflannu o hyd . . . a pham roeddwn i'n edrych mor hapus . . . a phan ddeuwn i i'r ysgol hefo *modrwy ddyweddïo* ar fy mys, mi fyddai Derec Wyn wedi'i syfrdanu ac yn sylweddoli ei fod o wedi fy ngholli am byth! Ac mi fyddai'n troi'i gefn ar gyfrifaduron a'i ddyfodol mewn joban dda ariannog ac yn . . . yn . . .

Mi gyrhaeddodd Dad a Mam a Llŷr a'r babi chwarter i ddau, jest pan oeddwn i'n pacio'r brechdanau yn barod i gychwyn.

'Wel, Gwenno . . .' medda Dad. 'mi rwyt ti yma heddiw. Ddim wedi dy weld ti . . .'

'Ma'r hogan yn rhywle bob munud,' medda Nain gyda phleser. 'Byth yn gwybod ble i'w chael hi. Ond fel'na ddylai bywyd yr ifanc fod.'

Mi dduodd wyneb Mam, ond ddywedodd hi run gair. Dal arni'i hun debyg, rhag ffrwydro.

'Cael a chael i'w gweld hi ddaru chi heddiw,' medda Nain eto. 'Ar gychwyn ma hi.'

'I ble rwyt ti'n mynd?' holodd Llŷr.

'Reidio beic,' meddwn innau.

'Wel, wir, Gwenno, mi fuaswn i'n meddwl y buaset ti'n aros i weld dy deulu,' medda Dad yn feirniadol. 'Dydan ni ddim wedi dy weld ti ers pythefnos.'

'Sori,' meddwn i.

Ond be fedrwn i ei wneud, tê? A doeddwn i ddim yn gwybod eu bod nhw'n dŵad.

'A be 'ma Rhodri bach yn 'i wneud?' medda Nain gan blygu tros y babi. 'Ydi o'n cael chwara teg wedi i'w nain o fynd?'

Mi fedrwn i weld nad oedd yr ymweliad am fod yn un hapus iawn, ac mi roeddwn i'n reit falch pan gyrhaeddodd Iwan.

'Barod?' gwaeddodd o'r giât ffrynt.

'Dŵad rŵan,' gwaeddais o stepan y drws. 'Dwy funud.'

'A hefo pwy rwyt ti'n mynd felly?' holodd Dad.

'Iwan,' meddwn i. 'Byw tros ffordd.'

'Wir, Mam,' medda Dad. 'Rydw i'n synnu atoch chi'n rhoi'r ffasiwn benrhyddid i Gwenno. Galifantio hefo bechgyn diarth. A beth am Derec Wyn,' holodd gan droi ata i.

'Be wn i?' meddwn yn ddidaro reit. 'Dydan ni ddim yn ffrindia.'

'Mi greda i wir,' medda Dad. 'A thitha wedi colli dy ben yn fa'ma.'

Am unwaith, roeddwn i'n falch pan ddechreuodd y babi grio. Mi afaelais yn y brechdanau a nillad nofio a chychwyn am y drws.

'Mynd rŵan,' meddwn i uwch y bloeddio. 'Ta ta, bawb.'

Ac allan â mi trwy ddrws y ffrynt.

'Aros,' medda Dad yn awdurdodol. 'Dydw i ddim yn fodlon o gwbl ar hyn. Efalla y buasai'n well iti ddŵad adra.'

'Dŵad adra? A gadael Nain?' meddwn i'n hunangyfiawnhaol. 'Ma hi'n licio fy nghwmni i. A be wnaiff hi ar ei phen ei hun?'

'Mi fydd ar ei phen ei hun wedi i'r ysgol ddechra,' meddai Dad.

'A bai pwy ydi hynny?' gofynnais.

'Yli, Gwenno, dwyt ti ddim yn dallt,' ochneidiodd Dad. 'Mi wyddost nad oes digon o le adra . . . ac mae Nain mor anodd i'w thrin. Ma'n rhaid iddi aros yma. Dyna'r unig ateb.'

'Mi fyddwch chi yn hen ryw dro,' meddwn i o dan fy ngwynt.

'Be ddeudist ti?'

'O . . . dim byd,' meddwn i. 'Dowch i weld Iwan gan eich bod chi yma. Ond dydw i ddim yn dŵad adra tan ddiwedd yr wythnos. Rydw i wedi gaddo i Nain. Tasa waeth gen i aros yma am byth.'

'O . . . Gwenno,' medda Dad. 'Dwyt ti ddim yn meddwl hynna. Rydan ni i gyd dy eisio di adra. Yn dy golli di, ysti.'

A dyma fo'n rhwbio ngwallt i'n garuaidd.

Wel, mi fu bron imi â thorri i lawr, a dweud wrth gwrs fy mod i eisio dŵad adra, ond fy mod i wedi colli Derec Wyn . . . a dim eisio Iwan . . . a dim yn licio gweld Nain ar ei phen ei hun . . . ac wedi syrffedu ar grio'r babi a'r tendars roedd o'n 'i gael . . . ac fy mod i am droi tudalen newydd a *byth* am feddwl am Derec Wyn eto er fy mod i'n dal i'w garu . . . ac 'O, Dad bach, be wna i?'

Ond fedrwn i ddim. Mae 'na wal rhyngddof fi a nhw. Dydyn nhw ddim yn deall sut rydw i'n teimlo . . . a dydyn nhw ddim yn trio chwaith. Rydw i eisio i rywun ddweud wrtha i sut i gael Derec Wyn yn ôl . . . sut i wneud fy mywyd yn hapus eto . . . ond fedr rhieni ddim. Maen nhw wedi anghofio sut beth ydi bod yn ifanc a theimlo'ch bod chi eisio rheoli'ch bywyd eich hun, ond eich bod chi'n methu â gwybod sut.

Mi droais i ffwrdd rhag iddo fo weld y dagrau tu ôl i'm llygaid.

'Dowch at Iwan,' meddwn i gan droi am y giât. 'Dad . . . Iwan,' cyflwynais wedi cyrraedd ati.

Mi edrychodd Dad yn reit graff arno a holi am yr hyn a'r llall. Ond gwenu'n dila ddaru fo yn y diwedd, a dweud

'Mwynhewch eich hunain,' braidd yn erbyn ei ewyllys cyn troi yn ôl am y tŷ.

'Mi ddo i i dy nôl dydd Sadwrn,' galwodd. 'Yn syth ar ôl cinio.'

'Ôl reit,' cytunais.

'Gest ti'r drefn am rywbeth?' gofynnodd Iwan. 'Golwg braidd yn sych ar dy dad.'

'Dim mwy na'r arfer,' meddwn i'n siort.

Roeddwn i'n difaru braidd fy mod wedi trefnu i fynd. Mi fuaswn i wedi licio bod yna hefo nhw i gyd a holi Llŷr a oedd o'n cadw'i fachau oddi ar fy chwaraewr recordiau, a tybed oedd fy llofft i'n barod a ballu. (Ond doedd dim colled ar ôl sŵn y babi!)

Mi gawson bnawn reit braf. Cyfarfod y criw wrth bont y cei, a reidio wedyn yn un criw tyrfus hyd at Draeth y Wern. Mi fuon ni'n ymdrochi . . . a chwarae criced ar y traeth . . . a thorheulo . . . a bwyta'r picnic, ond er fy mod i'n chwerthin a chwarae a nofio a bwyta fel pob un ohonyn nhw, doeddwn i ddim yn fy mwynhau fy hun rywsut. Ddim fel y daru mi ar draeth Aber hefo Siw a Prysor a Derec Wyn.

Be mae o'n 'i wneud heddiw? Ydi o allan hefo Mandy Webb?

Mi fûm i'n gwrando ar recordiau yn nhŷ Iwan wedyn gyda'r nos. Mi roedd ei dad a'i fam o'n reit neis, a'i chwaer hefyd . . . ac mi ges i swper hefo nhw ac mi ddanfonodd Iwan fi'n ôl ar draws y ffordd a gafael amdana fel pe buasai piau fo fi . . . ond fedra i ddim anghofio Derec Wyn.

Dydd Sul, Awst 26ain.

Capel . . . cinio Sul . . . trio ffonio Siw . . . dim ateb eto . . . gweld Iwan yn y pnawn . . . te . . . swper . . . gwely. Fawr o bleser mewn dim.

151

Craffu yn y drych. Ydw i'n dechrau gwaelu? Yn teneuo ac yn llwydo, a chlewtiau o gysgodion yn par.dduo o dan fy llygaid i?

Dydd Llun, Awst 27ain.

Ffonio Siw tua deg a chael ateb o'r diwedd.

'Ble aflwydd buost ti?' gofynnais. 'Trio lawer gwaith.'

'Dydd Gwener . . . siopio yng Nghaer,' medda Siw. 'Dydd Sadwrn . . . allan hefo Prysor bron drwy'r dydd . . . ddoe . . . mynd am ddreif hefo Mam a Dad.'

'O . . .' meddwn i heibio i'r lwmp yn fy ngwddf. (Taswn i gartre mi fuaswn innau wedi cael mynd hefo nhw.)

'Be amdanat ti? Welaist ti Derec Wyn bnawn Iau?'

'Do.' Mi sniffiais yn ddigalon. 'A Mandy Webb hefyd.'

'Yyy? Ddaeth o rioed â hi hefo fo?'

'Do.'

'*Sgribliwns!*' rhyfeddodd Siw. 'Be ddigwyddodd?'

Fe aeth y pips fel andros cyn imi egluro . . . a doedd gen i ddim rhagor o arian.

'Ddoi di draw? Pnawn 'ma?' gwaeddais yn frysiog.

'Dim gobaith. Cael papuro fy llofft. Eisio helpu Ma . . .' a dyna ni wedi'n gwahanu.

Mi roddais y derbynnydd i lawr yn reit ddigalon. Braf ar Siw'n cael papuro'i llofft, a mynd i Gaer a chael cwmpeini Prysor. Fe gerddais yn araf tua'r afon a fy mhen yn fy mhlu. Anialwch o ddiwrnod, ac anialwch o fywyd hefyd heb Derec Wyn.

Mi eisteddais ar ganllaw'r bont ac edrych i lawr ar y dŵr.

'Yli, Gwenno,' meddwn i wrthyf fy hun. 'Thâl hi ddim fel hyn. Beth taset ti'n syrthio i felancolia?'

Mi fedrwn i fy ngweld fy hun yn eistedd yn ddelw unig ar lan yr afon a Natur yn ei gogoniant o fy nghwmpas i. Mi fuasai'r haul yn tywynnu'n garuaidd ar fy wyneb, a murmur y dŵr wrth fy nhraed, yr adar bach yn morio canu

152

ym mrigau'r coed . . . a minnau'n eistedd heb sylwi ar yr un ohonyn nhw, yngholl yn fy nhristwch fy hun.

'Hei! Gwylia ddisgyn,' medda llais sydyn o'r tu ôl imi.

Iwan! Fedra i ddim rhoi fy nhroed trwy ddrws Nain heb daro fy nhrwyn ynddo fo.

'Wyt ti ddim yn gweithio?' meddwn i.

'Wel . . . trio tê?' meddai. 'Dim llawer o daro, a dim ond wythnos eto i fynd.'

'Ond mae mwy o sbwriel ar ôl penwythnos.'

'Mi gaiff y Cyngor boeni amdano fo. Am yr awr nesa, beth bynnag. Mae'n amser cinio.'

'Be?' Mi fu bron imi â syrthio oddi ar y canllaw. 'Ma Nain yn disgwyl amdana i.'

'Aros funud,' medda Iwan gan afael yn fy mraich. 'Ddoi di draw heno? Gwrando recordiau? Snog fach?'

'Dos i ganu,' meddwn i. 'Gwrando recordiau, efallai, snog . . . na.'

Beth oedd o'n 'i feddwl oeddwn i? A finnau wedi rhoi ar ddallt iddo fo hefyd.

'Tynnu coes,' medda fo. 'Dyna i gyd.'

Y drwg hefo Iwan ydi nad ydych chi byth yn gwybod prun ai tynnu coes ta o ddifri mae o.

Mynd adre'n reit ffwrbwt ddaru mi.

'Sori, Nain. Anghofio'r amser,' ymddiheurais.

On'd ydi bywyd yn ddiflas o fflat?

Dydd Mawrth, Awst 28ain.

Run fath!

Dydd Mercher, Awst 29ain.

Mi rydw i'n trio codi fy nghalon. Meddwl am yr ysgol yr wythnos nesaf, a chael cyfarfod fy ffrindiau. Dosbarth newydd . . . gwaith newydd . . . cael bod yn ôl yn fy llofft . . . ffraeo hefo Llŷr (ac mi wna i hefyd os ydi o wedi busnesu hefo fy chwaraewr recordiau i). . . gwrando ar y babi'n crio . . . *Iyc*!

Cerdyn oddi wrth Siw. Dŵad y pnawn 'ma. Hwrê!

Roedd hi wedi'i syfrdanu pan adroddais i'r hanes wrthi.

'Ac mi ddaeth â Mandy Webb hefo fo?'

'Do.'

'Ac mi ffraeoch?'

'Do siŵr. Wel, hanner ffraeo. Rhoi ar ddallt iddo fy mod innau yn fy mwynhau fy hun, diolch yn fawr, gystal bob tamaid ag yr oedd o hefo Mandy Webb. Cyflwyno Iwan hefyd.'

Doedd gan Siw fawr o gyfarwyddyd na chalondid i'w roi imi.

'Waeth iti roi'r ffidil yn y to ddim. Dim llawer o obaith ichi'ch dau rŵan.'

Fedra i ddim suddo run iot yn is. Rydw i wedi cyrraedd dyfnder isaf bywyd.

Dydd Iau, Awst 30ain.

Mae 'na lygedyn bach o obaith yn ei styfnigo'i hun o'm mewn. Ddaw Derec Wyn hefo'r bws ddau wedi'r cyfan? O! Rydw i'n trio credu a chredu y daw.

Mi es draw at yr arhosfa, ond doeddwn i ddim am sefyll yno i ddisgwyl yng ngŵydd pawb chwaith. Na, mi fûm i'n stelcian fel lleidr yng nghysgod rhai o'r coediach yn y parc bach gerllaw. A phan gyrhaeddodd y bws, sbecian ddaru mi a chroesi fy mysedd run pryd. Plîs, gadewch iddo fo fod yna. Mi a i ar fy llw nad oes gen i ddim meddwl yn y byd o Iwan. Mai ffrind ydi o.

Ond doedd waeth imi heb â mharatoi fy hun. Ddaeth o ddim. Mae o wedi digio am byth.

O, wel, os mai fel'na mae o'n teimlo. Croeso i Mandy Webb ohono fo.

Dydd Gwener, Awst 31ain.

Diwrnod diwethaf ond un. Rhaid imi gadw cwmpeini i Nain trwy'r dydd heddiw. Fydda i ddim yma ar ôl fory, yn na fydda?

'Be wnawn ni heddiw, Nain?' meddwn i.

'Rŵan rwyt ti'n cofio amdana i?' medda Nain.

Wel, am annheg, tê? Pwy oedd wedi fy hel i allan o'r tŷ bron, er mwyn iddi gael brolio wrth Mam a Dad am yr amser da a'r rhyddid oeddwn i'n ei gael yma?

'Nain!' meddwn i. 'Chi oedd eisio imi fynd.'

'Ia, debyg,' medda hi. 'Fûm i rioed yn un i sefyll yng ngolau rhywun arall. Dyna fy nrwg i rioed.'

Dew! Mae Nain yn ei thwyllo ei hun ac yn medru coelio rhywbeth!

'Oes 'na rywbeth ga i'i wneud yn y tŷ?' holais, yn benderfynol o ddangos ewyllys da petaswn i'n *marw* ohono fo.

'Braidd yn hwyr ar y dydd,' medda Nain yn siort.

Mae hi'n benderfynol na wnaiff dim ei phlesio heddiw. A felly y bu hi trwy'r dydd hefyd. Doedd waeth imi heb ag agor fy ngheg, neu mi fyddai Nain yn neidio i mewn iddi. Digon â syrffedu neb!

'Rydw i'n mynd allan hefo Iwan heno,' meddwn i amser te. 'Caffi Dafydd a thro ar hyd glan y môr wedyn.'

'Ia, dos di,' medda hi mewn llais bron â threngi. 'Mi fydd yn rhaid imi arfer bod ar fy mhen fy hun.'

A dyma hi'n ochneidio fel petasai'r byd ar ben.

Mi ddaeth 'na lwmp i fy ngwddf. Rydw i'n gwybod bod Nain yn gastiau i gyd, ac na fedr hi fyw pum munud hefo Mam, ond dydi o ddim yn deg ei gadael, yn nac ydi? Beth petasai hi'n syrthio eto?

'Mi ddo i i'ch gweld, Nain,' meddwn i. 'Bob cyfle ga i.'

'Ia . . . wel . . . i ffwrdd â thi i dy fwynhau dy hun,' medda Nain.

'Wna i ddim aros yn hwyr,' addewais.

Roeddwn i'n teimlo'n ddigon bethma yn mynd a'i gadael, ond yn fwy bethma fyth wrth gofio y byddwn i'n mynd adre fory . . . a thybed a fuaswn i'n gweld Derec Wyn cyn i'r ysgol ddechrau?

'Mi ddo i i'r dre i dy weld ti,' medda Iwan fel yr oedden ni'n cyrraedd yn ôl. 'Fydd y lle 'ma ddim run fath wedi iti fynd.'

Sebon meddal! Mi fydd ganddo fo gariad newydd cyn imi groesi trothwy ein tŷ ni.

'Dim llawer o bwrpas,' meddwn i. 'Mae gen ti dy ffrindiau yma . . . a finnau rai yn y dre.'

Mi roddodd Iwan ei law ar ei galon a smalio'i fod o wedi cael ergyd farwol.

'Paid â dweud peth fel'na. Torri fy nghalon i.'

'Ffŵl. Dydw i'n coelio run gair,' meddwn i.

'Am fynd yn ôl at Derec Wyn rwyt ti, debyg,' meddai'n drymaidd. 'Roeddwn i'n meddwl nad oedd siawns imi yn ei erbyn *o*, er imi dy helpu wedi iddo ddŵad â'r Saesnes honno hefo fo.'

Mi edrychais arno trwy gil fy llygaid. Doedd bosib ei fod o ddifrif? Yna mi welais y llygedyn digrifwch yn ei lygaid. Chwarae'r ffŵl roedd o eto.

'Paid â gor-actio rhag ofn imi ddechrau dy goelio,' meddwn i.

Chwerthin ddaru fo a gofyn am gusan i ffarwelio. Dydi'n biti na fuaswn i'n ei licio fo o ddifri?

Dydd Sadwrn, Medi 1af.

Deffro cyn cŵn Caer. Methu â phenderfynu prun ai balch ta'n pitïo roeddwn i am fy mod yn mynd adra.

Mi neidiais o'r gwely a gwisgo amdana.

'Mi gaiff Nain baned yn ei gwely heddiw,' meddwn i wrthyf fy hun. 'Am fy mod i'n mynd adra.'

'Hrmph!' medda Nain. 'Methu â gweld yr amser yn dŵad yn ddigon buan, debyg?'

'Meddwl y buasech chi'n licio tendars ar y bore diwethaf,' meddwn i.

'Wela i fawr ohono o hyn ymlaen,' medda Nain. 'Codi a gwneud fy hun fydd hi arna i. Estyn fy nannadd gosod, wnei di?'

Mi aeth 'na ias i fyny fy asgwrn cefn. Maen nhw'n binc, ac yn oeraidd wlyb, ac mae hi'n frwydr arna i i reoli fy stumog wrth afael ynddyn nhw.

'Fedra i ddim yfad te heb fy nannadd, ysti,' medda Nain. 'Llosgi top fy ngheg i.'

'Pam 'u tynnu nhw, ta?' holais.

'Seibiant i fy ngymiau i,' medda Nain gan sipian ei the yn fodlon.

Ych! Rydw i'n benderfynol na fydd gen i byth ddannedd gosod. Mi gaiff Rhys ap Dafydd balfalu faint a fynno fo yn fy ngheg i, ond iddo sbario dannedd gosod.

Roeddwn i wedi pacio fy mhethau, ac wedi twtio i Nain, a nôl neges tros y Sul o'r siop, a chludo glo a phriciau ymhell cyn i Dad gyrraedd.

Mi balfalodd Nain yn ei phwrs gan glywodd hi'r car yn arafu tu allan.

'Dipyn o gil dwrn iti am dy gwmni,' meddai.

'Dew! Does dim eisio,' meddwn i.

Pum punt? Decpunt? Mwy?

Dyma hi'n estyn dwybunt.

'A phaid â'u gwario nhw ar sothach,' meddai. 'Cadw nhw nes y gweli di rywbeth gwerth chweil.'

'Diolch, Nain,' meddwn i a rhoi andros o sws iddi.

Ond be gewch chi am ddwybunt? Dau gerdyn pen-blwydd jest!

'Ac mi ddoist, Myrddin,' medda hi'n drymaidd fel y cerddodd Dad i mewn. 'Ma Gwenno yn barod.'

'Does dim brys,' medda Dad yn or-harti.

'Tro cynta rioed,' medda Nain. 'Gwna baned, Gwenno.'

Mi es i trwodd i'r gegin, ond mi roedd fy nghlustiau i'n effro i'r sgwrs yn y gegin fyw.

'Ylwch, Mam,' medda Dad. 'Ma Menai a fi wedi bod yn meddwl . . .'

'O . . .' medda Nain heb fawr o ddiddordeb.

Mi gliriodd Dad ei wddf.

'Meddwl y dylech chi gael cymorth cartre,' meddai. 'Rhywun i ddŵad i mewn i gynnau tân, a nôl eich pensiwn, a phethau felly.'

'Chlywais i rioed y ffasiwn beth,' medda Nain yn ffrom-llyd. 'Mi wna i tra medra i, a phan ddaw hi'n fethiant arna i, mi rowch chi fi mewn cartra ar fy mhen. Ac arhosa i ddim i fod yn fwrn ar stumog neb.'

Roedd hi'n poethi yn y gegin fyw! Mi dywalltais ddŵr i'r tebot a dal i wrando.

'Ond, Mam . . .' medda Dad. 'Ma 'na lot o bobl yn cymryd cymorth cartre. Dydi o'n costio fawr. Ac mi dalith Menai a finna drosoch chi.'

'Arian cydwybod,' haerodd Nain. 'Tasa dy dad yn gwybod. Fedra fo ddim diodda dieithriaid yn byseddu'i betha fo.'

'Wel, meddyliwch am y peth,' medda Dad. 'Dydych chi'n mynd ddim ieuengach.'

Mi gludais yr hambwrdd trwodd.

'Ma nain Gwawr yn 'u cymryd nhw, Nain,' meddwn i. 'A phrydau ar olwynion hefyd. Rhaid iddi fod yn reit sgut, neu maen nhw wedi rowlio heibio,' meddwn i'n reit fodlon ar fy jôc.

'A dyna ddigon o wamalu, Gwenno,' medda Dad yn siort.

Wel, trio helpu roeddwn i, tê? Trio ysgafnhau dipyn ar y ddadl. Ond mae oedolion yn camddeall ymdrechion rhywun yn wastad.

'Wel, ystyriwch y peth,' medda Dad. 'Does dim rhaid ichi benderfynu rŵan.'

'Diolch iti am ddŵad, Gwenno,' medda Nain pan oedden ni'n cychwyn.

Roedd golwg reit od ar ei hwyneb, fel pe buasai hi bron â chrio.

'Mi ddo i yma'n fuan,' meddwn i a thaflu mreichiau am ei gwddf a'i gwasgu'n iawn.

'Rŵan, byhafiwch chi eich hun tra y bydda i o'ma, tê?' meddwn i.

'Ia, debyg,' medda Nain hefo hanner gwên.

Roedd hi'n edrych yn fychan a chwmanllyd ac yn ddigalon rywsut fel yr oedden ni'n cychwyn, ac mi chwifiais fy llaw fel randros arni nes roedden ni wedi cyrraedd gwaelod y stryd.

Ond roeddwn i'n reit falch o gael mynd adra hefyd, neu felly roeddwn i'n meddwl nes y cerddais i mewn a chlywed y babi'n bloeddio!

'Sut y mwynheaist ti dy hun hefo Nain?' holodd Mam.

'O . . . iawn,' meddwn i. 'Lot o hwyl.'

'Hm!' medda Mam. 'Ma hi wedi newid ei ffordd, ta.'

Dydi Mam ddim yn trio hefo Nain. A dydi Nain ddim yn trio hefo Mam, chwaith. Fel'na y byddan nhw am byth, debyg!

'Rydw i am ffonio Siw,' meddwn i.

Roedd bron yn dri o'r gloch. Tybed fyddai hi wedi mynd allan hefo Prysor? Ond roedd yn rhaid imi gael trio.

'Cadw fo'n fyr, ta,' gorchmynnodd Dad.

Rydw i adre o ddifri, yn tydw?

Ond allan roedd Siw. Wedi mynd ers y bws hanner awr wedi un, meddai'i mam.

'Wnewch chi ddweud fy mod wedi ffonio,' meddwn i. 'Newydd gyrraedd adra rydw i.'

'Ddoist ti ag anrheg imi?' gofynnodd Llŷr gan fy nilyn i fyny'r grisiau.

'Anrheg? Dos i ganu,' meddwn i. 'Ble rwyt ti'n meddwl y cefais i'r arian?'

Mi agorais ddrws fy llofft. Dew! Mi roedd yn braf cael cerdded i mewn iddi a gwybod mai yno y byddwn i'n cysgu heno. Yn fy llofft fy hun . . . yn fy ngwely fy hun . . . a fy mhethau fy hun o'm cwmpas i. Hwrê!

'Fuost ti'n busnesu hefo fy chwaraewr recordiau?' holais yn chwyrn. 'Mi labyddia i di os buost ti.'

'Mae gen i hawl,' medda fo'n ddigywilydd.

'Hawl? Mi roi i iti hawl,' meddwn i a rhoi pinsiad reit dda iddo fo.

'Aww! Mam! Ma Gwenno wedi fy mrifo i,' gwaeddodd gan wneud môr a mynydd o binsiad bach bach.

'Babi,' meddwn i'n sbeitlyd. 'Babi wyth oed!'

'Babi dy hun,' gwaeddodd Llŷr.

'Gwenno! Llŷr!' hisiodd Mam o waelod y grisiau. 'Byhafiwch eich hunain yn y llofft 'na. Gwenno, dwyt ti ddim gartre bum munud nad wyt ti'n ypsetio pawb.'

Y fi? A beth am Llŷr? O na, doedd 'na ddim bai ar hwnnw, yn nac oedd? Tasa waeth imi aros hefo Nain ddim.

'Ac mi fydd 'na rycsiwns yma os byddwch chi'n deffro Rhodri,' bygythiodd Mam. 'Rydw i'n dweud wrthych chi rŵan.'

Mi sbïodd Llŷr a minnau'n wgus ar ein gilydd am eiliad.

'Mae o'n crio o hyd, ysti,' medda Llŷr yn ddifrifol sydyn. 'A mae Mam yn crio weithiau hefyd. Pan mae o'n cau cysgu.'

'Dydw i ddim yn dy goelio di,' meddwn i'n syn. 'Mam yn crio?'

'Ydi . . . a Dad yn gwylltio, a dweud nad oes dim llonydd i'w gael yn y lle 'ma, a fedr o ddim gwneud ei waith papur gyda'r nos . . . a mae'r ddau yn ffraeo. Lot.'

Mi afaelodd Llŷr yn fy llaw i'n sydyn.

'Dydyn nhw ddim am gael ysgariad, yn nac ydyn? Be ddigwyddai i ni wedyn, Gwenno?'

'Nac ydyn, siŵr,' meddwn i. 'Mi fyddwn ni'n iawn. Y ti a fi.'

Ond mi ddaeth 'na wasgfa sydyn at fy nghalon i.

'Yli, mi gei di ddefnyddio fy chwaraewr recordiau faint a fynnot ti,' meddwn i'n hael.

'Wir? Wnei di byth ffraeo hefo mi eto, yn na wnei?'

Gwenu ddaru mi a thynnu cudyn o'i wallt yn chwareus. Doeddwn i ddim am broffwydo'r dyfodol mor gadarn â hynny.

Dydd Sul, Medi 2ail.

Dim ond fory eto . . . ac mi fydd yr ysgol yn dechrau. Mi wela i Derec Wyn. Mae fy nghalon i'n drwm o'm mewn. Wnaiff o sbïo arna i? Wnaiff o siarad?

Mi ddaeth Siw draw yn syth ar ôl cinio.

'Biti dy fod ti'n hwyr yn cyrraedd ddoe,' medda hi. 'Mi fuaset wedi cael dŵad i'r pictiwrs hefo Prysor a finna.'

'Cwsberan fuaswn i, tê?' meddwn i.

Roeddwn i'n ofni gofyn bron, ond mi orfodais fy hun, er bod andros o lwmp yn fy llwnc i.

'Welaist ti Derec Wyn?' holais. 'Ydi Mandy Webb wedi mynd?'

'Wn i ddim,' atebodd Siw. ''Run ohonon ni wedi'i weld o.'

Mi ddechreuais sniffian.

'Be wna i, Siw? Rydw i'i eisio fo'n ôl, a dydw i ddim yn gwybod sut. Ac mi fydd pawb yn cael hwyl am fy mhen i yn yr ysgol. Gwen a Gwawr a phawb.'

'Disgyn ar dy fai,' medda Siw. 'Dweud sori.'

'Ddim os na ddeudith o.'

'Be 'di'r ots pwy sy'n dweud, os wyt ti'i eisio fo'n ôl?'

'Ella nad ydi o ddim eisio dŵad.'

'Rhaid iti ofyn cyn digalonni, yn bydd?'

'Ddoi di hefo mi?'

'Y fi?' Roedd llais Siw yn codi'n sgrech. 'Y fi fuasa'n gwsberan wedyn!'

'Ond fedra i ddim mynd fy hun.'

'Ffonia fo, ta.'

'Ond . . . fedra i ddim. Wir yr!'

'Gadael llonydd nes y dechreuith yr ysgol ydi'r gora iti,' medda Siw wedi pendroni dipyn. 'Fedrwch chi ddim peidio â'ch gweld eich gilydd yn y fan honno.'

Trio bodloni ar gyngor Siw ddaru mi . . . er nad oeddwn i'n llawn gredu ynddo fo chwaith. Yna mi waeddodd Mam o waelod y grisiau.

'Gwenno! Ei di a Siw â Rhodri am dro?'

Dydw i ddim gartra funud nad oes eisio tendars i'r babi! Ond mae golwg wedi blino ar Mam.

'Grêt,' medda Siw. 'Mi awn ni i'r parc.'

Wel, roedd yna gant a mil o bethau fuasai'n well gen i'u gwneud na phowlio coets. Ond roedd Siw wedi gwirioni! Mi ddois i lawr y grisiau'n ddigon pwdlyd.

'Be wna i os dechreuith o floeddio yn ôl ei arfer?' meddwn i. 'Mi fydd pawb yn sbïo arnon ni.'

'Mi gysgith, siŵr iawn,' medda Mam. 'Awyr iach yn lles iddo fo.'

'Tshwc a dwdw dw,' medda Siw'n gariadus. 'On'd ydi o'n tyfu, Gwenno? Ac yn dechrau gwenu, yli.'

Doeddwn i ddim wedi sbïo digon arno fo i sylwi. Mi daflais gipolwg go sydyn i mewn i'r goets er mwyn gweld a oedd hi'n dweud y gwir, er nad oedd gen i fawr o obaith ei fod o wedi dysgu gwenu fel y dysgodd o grio.

'Gwenu?' wfftiais. 'Wela i ddim byd.'

'Tyrd heibio i'r Clwb Nofio cyn mynd i'r parc,' medda Siw wedi inni gyrraedd y stryd.

'Pam?'

'O . . . ella fod Prysor yno.'

'Be taswn i'n gweld Derec Wyn?'

'Dyna wyt ti'i eisio, tê?' medda Siw'n rhesymol.

'Ond rwyt ti newydd ddweud mai gadael pethau nes i'r ysgol ddechrau fuasa orau. A dydw i ddim yn gwybod beth i'w ddweud os gwela i o.'

Mynd heibio i'r Clwb Nofio ddaru ni. Mi ddechreuodd fy mhen-gliniau grynu braidd fel y cyrhaeddon ni at y drws . . . a fy nghalon ddrybowndio hefyd.

'Aros di yn fa'na imi gael gweld ydi Prysor yna,' gorchmynnodd Siw. 'Fydda i fawr.'

Mi eisteddais innau ar y wal fach a symud y goets yn ôl ac ymlaen yn llipa reit. Dew! Mi roedd Siw yn hir. Mi edrychais ar fy wats . . . yna i gyfeiriad y Clwb Nofio. Dim golwg. Yna, mi ddechreuodd y babi stwyrian, fel petasai fo ar fin crio.

O'r andros! Be wnawn i?

'Cau dy geg nes daw Siw yn ôl,' erfyniais, gan ddechrau dychryn braidd wrth feddwl y buasai fo'n bloeddio a thynnu sylw pawb.

Mi symudais y goets yn egnïol.

'Cysga, plîs!' meddwn i.

Mi ddechreuodd besychu crio.

'Ssh! Ssh!'

Roeddwn i bron ar fy ngliniau eisio iddo fo dewi. Be fyddai Siw yn ei ddweud hefyd? Tshwc a dwdw dw! *Iyc!* Ond mae'n rhaid ichi weithredu rywffordd rywsut mewn argyfwng.

Mi blygais uwchben y goets a goglais ei ên hefo fy mys.

'Tshwc a dwdw dw, fabi bach,' meddwn i.

Mi fu bron imi â *marw* o sioc! *Mi wenodd!*

'Hei,' meddwn i wrthyf fy hun. 'Mae'n rhaid fy mod i'n rêl llaw hefo babis.

'Tshwc a dwdw dw,' meddwn i'n arbrofol wedyn a goglais ei ên eto.

Dew! Dydi babis ddim mor ddrwg chwaith. Er nad ydw i'n eu licio nhw. Ond efallai y callith hwn fel y tyfith. Gwenu mwy, a chrio llai.

163

Mi godais fy mhen oddi wrth y goets . . . ac mi fu bron imi â marw eilwaith. *Roedd Derec Wyn yn cerdded amdana i ar hyd y palmant*! Wyddwn i ddim beth i'w wneud. Sefyll fy nhir, ta dianc?

'O . . . hylo,' medda fo'n gloff pan welodd o fi.

Roeddwn i'n fflamgoch. Oedd o'n meddwl fy mod i'n stelcian yma yn ei ddisgwyl?

'Hylo,' meddwn i'n swil. 'Disgwyl Siw. Mae hi wedi mynd i chwilio am Prysor i'r Clwb Nofio.'

'O . . .' medda fo gan symud ei draed yn annifyr.

Mi safon ni yno'n dawedog.

'Mynd â'r babi am dro?' gofynnodd.

'Ia.' Fedrwn i yn fy myw ddarganfod dim pellach i'w ddweud er bod yr eisio'n byrlymio o'm mewn.

'Wel . . .' medda Derec Wyn o'r diwedd, wedi sbïo i bob man ond arna i. 'Mi a i i mewn, ta. Nofio.'

'O . . . ia,' meddwn innau gan ddigalonni'n llwyr wrth weld y cyfle yn llithro oddi arna i.

Ond cyn imi gau fy ngheg bron fe saethodd Siw o'r clwb.

'Dim golwg ohono fo,' meddai a'i gwynt yn ei dwrn. 'O . . .?'

Mi ddisgynnodd ei gên braidd pan welodd hi Derec Wyn, ac yna dyma hi'n gafael yn y goets.

'Reit,' medda hi. 'Mi a i â fo am dro i chithau gael siarad. Hen bryd.'

A chyn imi gael cyfle i ddadlau, roedd hi wedi rhoi pwniad arwyddocaol i mi ac wedi sgubo'r goets a'r babi o fy ngafael a diflannu i lawr y stryd.

'O . . .' meddwn i gan sbïo'n druenus ar Derec Wyn. 'Wn i ddim . . .'

'Yli,' medda Derec Wyn yn sydyn. 'Tyrd i eistedd.'

Wel, roeddwn i'n reit falch o gael gwneud, achos mi roedd fy nghoesau bron â'm gollwng. Mi gwympais yn ddiolchgar ar y wal fach, wedi gwirioni'n lân wrth glywed Derec Wyn mor feistrolgar.

Ond wedi inni eistedd, fedrai'r un ohonon ni ddechrau rywsut.

'Sori . . .' medda Derec Wyn.

'Sori . . .' meddwn innau yn union run pryd.

'Chdi gynta.'

'Na, chdi,' meddwn i.

'Sori am Mandy,' medda fo'n annifyr. 'Doedd hi'n cyfri dim . . .'

'Nac Iwan i minnau chwaith,' meddwn i'n ddiolchgar. 'Wir yr, Derec Wyn. Dim ond ffrind. Byw tros ffordd i Nain. Ac mi roeddwn i wedi gwylltio am Mandy.'

'Mandy'n iawn . . . ond dydi hi ddim yn gariad,' medda Derec Wyn gan afael yn fy llaw a'i gwasgu'n sydyn boenus.

'Iwan yn iawn hefyd . . . ond dydi o ddim yn gariad,' meddwn i gan wasgu'i law yntau yr un mor gadarn.

'Wnawn ni ddim ffraeo eto.'

'*Byth*!' atebais o waelod fy nghalon.

Mi wenodd Derec Wyn arna i . . . ac mi wenais innau arno yntau . . . ac mi roedd fy myd i'n siglo'n hapus binc rywle uwch fy mhen i.

'Wedi callio'ch dau,' sylwodd Siw yn fodlon pan ddaeth yn ei hôl.

'Do,' meddwn i'n ddiolchgar. 'Camgymeriad oedd y cyfan.'

Mi es adre'n hapus braf.

'Gad y goets yn yr ardd am dipyn,' medda Mam mewn llais bron â diffygio. 'Efallai y cysgith o ragor.'

'Iawn,' meddwn i.

Roedd golwg reit bethma arni erbyn imi sylwi.

'Pam na steddwch chi, Mam?' meddwn i. 'Rhoi eich traed i fyny. Neu fynd am fath?'

'Bron yn amser bwydo Rhodri,' meddai Mam yn flinedig. 'Ac mae eisio paratoi swper.'

'Mi wna i. Eisteddwch chi,' meddwn i'n feistrolgar.

'O . . . Gwenno, wnei di?' meddai hi'n llipa. 'Rydw i wedi blino cymaint . . . ac mae'r lle 'ma eisio'i llnau . . . a does 'na ddim teisen . . . ac mae'r golchi heb ei wneud . . .'

Mi sbïais arni o ddifri. Dew! Mi roedd golwg jest â disgyn arni hi hefyd.

'Dach chi wedi bod at y doctor?' gofynnais. 'Eisio fitaminau arnoch chi, synnwn i ddim.'

'Mae popeth yn ormod o drafferth gen i,' cwynodd Mam. 'Ac mae Rhodri'n crio gymaint . . . yn y nos hefyd, ac yn styrbio dy dad. Ei ddeffro ac yntau eisio mynd i'w waith yn y bore. Wn i ddim ble i droi.'

'Never fear, Gwenno's here,' meddwn i wrthyf fy hun.

Roedd yn amlwg fod eisio rhywun i'w tynnu nhw at ei gilydd, on'd oedd?

'Steddwch,' gorchmynnais. 'Mi wna i baned gynta, ac mi gewch chi fynd am fath a golchi'ch gwallt wedyn.'

'Does gen i mo'r ynni i'w olchi fo,' medda Mam gan symud ei llaw yn flinedig trwyddo.

'Mi wna i ichi.'

Mi roddais y baned o'i blaen.

'Ond beth petasai Rhodri'n deffro? Mi fydd eisio'i botel.'

'Iawn,' meddwn i. 'Dim problem. Ble ma Dad?'

'Paid â gofyn iddo fo!' erfyniodd Mam.

'Pam lai, tê?' meddyliais. 'Y fo biau hanner y babi!'

Mi ddechreuodd y babi grio jest pan oeddwn i'n trin gwallt Mam.

'Nôl rŵan,' meddwn i, a charlamu i lawr y grisiau.

Roedd Dad yn darllen y papur yn y lolfa.

'Ma'r babi'n crio,' meddwn i.

'Cod o, Gwenno,' meddai heb godi'i ben.

'Ylwch, Dad,' meddwn i'n benderfynol. 'Mae o'n fabi i chi hefyd. Ac mi rydw i wrthi'n golchi gwallt Mam. Rhowch *chi* botel iddo fo, a newid clwt hefyd.'

Roedd Dad fel pe buasai wedi'i barlysu.

166

'Ym . . . wn i ddim. Ddaru mi rioed. Busnes merched,' meddai'n gloff.

Sut ar y ddaear roedd o wedi cael tri o blant a rioed wedi newid clwt, wn i ddim.

'Mae Mam wedi blino . . . ac yn mynd i weld y doctor fory,' meddwn i'n gryf. 'Rydw i'n ei adael o i chi.'

Dyna ddweud wrtho fo, meddyliais wrth ddringo'r grisiau. Mae dynion yn llwyddo i osgoi myrdd o bethau! Wel, mae un peth yn siŵr, mi ddysga i Derec Wyn o'r dechrau.

Roedd y babi'n bloeddio o'i hochr hi yn yr ardd.

'O diar . . .' medda Mam. 'Rhaid imi fynd ato fo.'

Cododd a dechrau lapio tywel am ei phen.

'Mi sycha i fy ngwallt eto.'

'Mae Dad am roi potel iddo, a newid clwt,' meddwn i gan aildynnu'r tywel a'i phwyso hithau'n ôl i'r gadair.

'Ond fedr o ddim. Dydi o rioed wedi gwneud. Ac mae o eisio gweithio . . .'

'Os ydi darllen papur yn weithio, ma'r Wyddfa'n gaws,' wffitiais wrthyf fy hun.

Rydw i'n dechrau poeni o ddifri. Dydi pethau ddim yn iawn yn ein tŷ ni. Mae Mam ar binnau, a Dad yn grwgnach bigog, a Llŷr fel pe buasai ofn ei gysgod . . . ac mi'u clywais i nhw'n ffraeo wedi iddyn nhw fynd i'w gwely. Beth sydd yn digwydd yma?

Dydd Llun, Medi 3ydd.

Dad yn wgus ddistaw amser brecwast, Mam yn nerfus siaradus.

'Dach chi wedi ffonio'r doctor?' gofynnais.

'Dim amser y bore 'ma,' medda Mam.

Ddaru Dad ddim codi'i ben.

'Mae eisio iddi hi fynd, yn does, Dad,' meddwn i, yn barod i wthio'r cwch i'r dŵr.

'Siŵr iawn,' meddai.

'Wel, pwy sy'n mynd â hi, ta?' meddwn i. 'Mi edrycha i ar ôl Llŷr a'r babi.'

'Rhaid i mi fynd i fy ngwaith,' medda Dad.

Ac i ffwrdd â fo heb ddweud gair yn rhagor. Mi sbïais ar Mam yn geg agored. Roedd hi'n troi a throi ei llwy yn ei phaned goffi, ac mi wyddwn rywsut ei bod hi bron â chrio.

Mi lyncais innau boer sydyn. Oedd Llŷr rioed yn iawn? Oedden nhw'n ffraeo digon i gael ysgariad? Be ddigwyddai inni i gyd?

Ar y babi roedd y bai. Y fo oedd wedi tynnu'r tŷ 'ma a'i din am ei ben. Wedi ypsetio pawb a phopeth. A rŵan, dyma Mam yn methu dŵad i ben hefo'i gwaith, ac ar bigau drain a bron â chrio, a chant a mil o bethau heb eu gwneud. Ond ddaru'r peth bach ddim gofyn am ei eni, yn naddo?

Mi es i ati i helpu Mam ar ôl brecwast. Llnau a rhoi'r peiriant golchi ar dro, golchi'r llestri a smwddio. Rêl sgifi oeddwn i, unwaith eto. Ond roeddwn i'n poeni am Mam. Doedd hi'n gwneud dim ond eistedd a synfyfyrio. A phan ddeffrodd y babi, ochneidio ddaru hi a chychwyn i fyny'r grisiau fel pe buasai'i thraed yn dalpiau o goncrit.

Roedd hi i fyny'r grisiau pan gyrhaeddodd yr Ymwelydd Iechyd. Fûm i erioed mor falch o weld neb.

'Eich mam yn iawn, Gwenno?' medda hi'n glên wrth gamu i'r lobi.

'Nac ydi,' meddwn i'n foel. 'Rydw i eisio iddi hi fynd at y doctor, ond mae hi'n cau mynd.'

'Roeddwn i'n ofni hyn,' meddai'r Ymwelydd. 'Twtsh o iselder wedi geni'r babi. A dydi o ddim wedi bod yn fabi hawdd, yn nac ydi?'

Haleliwia fod rhywun yn deall. Ond soniais i ddim gair amdanyn nhw'n ffraeo. Rhy bersonol.

'Mi a i i fyny ati,' meddai'r Ymwelydd.

Mi es innau'n ôl i'r gegin i slafio mlaen. Doeddwn i ddim wedi cael munud i feddwl am Derec Wyn, rhwng poeni am fy rhieni a gorfod ailafael ynddi fel sgifi di-dâl y tŷ 'ma. Be 'di'r iws ailgymodi hefo'ch cariad a theimlo'n fôr o hapusrwydd, a chael eich dygwympo i boen arall cyn ichi droi rownd?

Ac mi roedd yr ysgol yn dechrau fory . . . a minnau mewn dosbarth newydd . . . ac mi fyddai gen i waith cartre . . . ac mi fyddai angen dewis pynciau ac fe fyddai 'na wn i ddim faint o bethau eraill i feddwl amdanyn nhw.

'Rydw i'n mynd â'ch mam at y doctor rŵan,' medda'r Ymwelydd wedi dŵad i lawr o'r llofft. 'Mi fydd Rhodri'n iawn hefo chi am ychydig, yn bydd, Gwenno?'

Be fedrwn i'i ddweud ond bydd, tê? Doedd ond gobeithio na fyddai'n rhaid imi 'tshwc a dwdw dwio' uwch ei ben eto. Teimlo'n rêl het!

Roeddwn i'n gweld gwell hwyl ar Mam pan gyrhaeddodd adre. Wedi cael tabledi gan y doctor, medda hi. Rhywbeth i godi'i chalon.

Mi'i gorfodais hi i orffwyso ar ei gwely am awr yn y pnawn tra oeddwn innau'n paratoi'r cinio gyda'r nos ac yn gwrando am y babi. Wrth gwrs, mi floeddiodd hwnnw yn ôl ei arfer, ond chafodd o ddim agor ei geg bron nad oeddwn i wedi'i godi a'i daro tros fy ysgwydd fel y gwelais i Mam yn ei wneud.

'Byhafia dy hun,' meddwn i'n reit chwyrn. 'A phaid â deffro Mam.'

Gwyrth! Mi ufuddhaodd. Dydi babis ddim yn ddrwg i gyd, ond ichi ddeall sut i'w trin nhw! Bron na chreda i y galwa i o'n Rhodri o hyn ymlaen!

A gwyrth arall! Mi gyrhaeddodd Dad adre hefo tusw mawr o flodau i Mam.

'I dy fam, ysti,' meddai a golwg braidd yn swil ar ei wyneb. 'I ymddiheuro am y bore 'ma. Mae bai arna i na fuaswn i wedi sylweddoli nad ydi hi ddim yn dda.'

'Oes,' meddwn i'n foel.

Doedd waeth imi ddweud fy meddwl ddim, yn nac oedd?

Mi ddaeth Mam i lawr y grisiau. Mi feddalodd ei hwyneb pan welodd hi'r blodau.

'O . . . Myrddin,' medda hi gan gladdu'i thrwyn yn eu canol nhw. 'Rhai cochion. O . . . Myrddin. Wyt ti'n cofio . . .?'

A chyn imi droi rownd roedd y ddau ym mreichiau'i gilydd.

'Cegin,' meddwn i wrth Llŷr gan afael fel gelen yn ei fraich a'i arwain yn styfnig ddigon trwy'r drws.

'Oedden nhw am swsio?' holodd Llŷr yn llygaid agored syn.

'Dim o dy fusnes di na minna,' meddwn i. 'Estyn y llestri.'

Mi gefais i sgwrs hir hefo Derec Wyn ar y ffôn gyda'r nos. On'd ydi bywyd yn berffaith?

Dydd Mawrth, Medi 4ydd.

Codi'n fore . . . molchi . . . brecwast ar frys . . . gaddo paratoi cinio heno . . . Dad yn jocian . . . Mam yn gwenu er ei bod hi'n flinedig . . . Llŷr fel chwannen hapus yn sboncio i bob man . . .

'Rydan ni am gael help i dy fam yn y tŷ,' medda Dad. 'Rhywun i llnau a smwddio . . . nes y daw hi ati'i hun.'

'Grêt,' meddwn i.

Ia, grêt! Fydd dim rhaid i minnau slafio cymaint! Mae fy mywyd ifanc i'n mynd heb imi fwynhau dim arno fo.

'Cael help yn y tŷ,' meddwn i wrth Siw fel y disgynnais i'r sedd wrth ei hochr ar y bws ysgol. 'Mam ddim yn gant y cant.'

'Lot o ferchaid yn dioddda fel'na,' medda Siw'n wybodus. 'Rydw i wedi darllen amdano fo.'

Mi gyrhaeddon ni'r ysgol. Roedd Gwen yn sefyll ar yr iard.

'Hiya, Gwenno . . . Siw,' meddai hi'n wên i gyd.

'Hiya,' medden ninnau.

'Sut wyt ti, Gwenno?' holodd Gwen. 'Cadw dy galon i fyny?'

'Pam hynny?' holais yn ddryslyd braidd.

'O . . . Derec Wyn wedi cael cariad arall,' medda hi'n gydymdeimlad i gyd. 'Y Mandy Webb 'na. Bitsh ydi hi. Mynd i dŷ dy Nain i ddŵad atat dy hun ddaru ti, tê?'

'B-be?' Fedrwn i ddim credu fy nghlustiau.

'A chithau wedi gwneud sôn amdanoch eich hunain ar draeth Aber hefyd. Yn noethlymun groen. Teulu Gwawr ddeudodd. Wrth gwrs, sonia i run gair wrth neb. Fuasech chi ddim yn licio i'r stori ddŵad allan, yn na fuasech?'

Mi fu amser y buaswn i'n fôr o chwys a chywilydd. Ond doedd affliw o ots gen i rŵan. Mi edrychodd Siw a minnau ar ein gilydd.

'Ydi ots gen ti, Siw?' holais yn ddiniwed. 'Cael ein hanes ar dudalen flaen y News of the World a ballu?'

'Nac ydi'n tad,' medda Siw. 'Mi fwynheais i bob munud o'r profiad. Ymdrochi'n borcyrs yng nghwmni bechgyn. Rhaid iti'i drio fo ryw ddiwrnod, Gwen.'

Roedd golwg wedi'i syfrdanu arni.

'Ddaru fo fawr o les i Gwenno, naddo?' medda hi o'r diwedd. 'Mandy Webb ddewisodd o. Wn i ddim sut y medri di'i wynebu fo, Gwenno, a gwybod ei fod o'n chwerthin am dy ben di. Biti. Trio popeth i'w gadw . . . a'i golli.'

Mi wenais fel heulwen haf arni.

'Pwy ddeudodd . . . colli?' holais.

Mi welwn Derec Wyn a Prysor yn nesáu. A chyda gwên felys ar Gwen mi gerddais i'w cyfarfod a gafael yn llaw Derec Wyn yn gariadus. Mi wenodd o arna i . . . ac mi wenais innau arno yntau. Yna mi gerddon ni'n dau ochr yn ochr . . . glòs . . . ar hyd y coridor. Mae rhai sefyllfaoedd yn fêl i gyd!